ESCRITOS SOBRE A HISTÓRIA

1963-1986

CONTRACORRENTE

Louis Althusser

ESCRITOS SOBRE A HISTÓRIA

1963-1986

Texto estabelecido e anotado por G. M. Goshgarian

Tradução: Diego Lanciote

São Paulo
2022

CONTRACORRENTE

Copyright © Presses Universitaires de France / Humensis,
Ecrits sur l'histoire (1963-1986), 2018.
Copyright © EDITORA CONTRACORRENTE
Alameda Itu, 852 | 1º andar |
CEP 01421 002
www.loja-editoracontracorrente.com.br
contato@editoracontracorrente.com.br

EDITORES
Camila Almeida Janela Valim
Gustavo Marinho de Carvalho
Rafael Valim
Walfrido Warde
Silvio Almeida

EQUIPE EDITORIAL
COORDENAÇÃO DE PROJETO: Juliana Daglio
REVISÃO: Douglas Magalhães
REVISÃO TÉCNICA: Amanda Dorth
DIAGRAMAÇÃO: Marina Avila
CAPA: Maikon Nery

EQUIPE DE APOIO
Fabiana Celli
Carla Vasconcelos
Fernando Pereira
Valéria Pucci
Regina Gomes
Nathalia Oliveira

Dados Internacionais de Catalogação na Publicação (CIP)
(Câmara Brasileira do Livro, SP, Brasil)

Althusser, Louis, 1918-1990
Escritos sobre a história : 1963-1986 / Louis Althusser ; texto estabelecido e anotado por G. M. Goshgarian ; tradução Diego Lanciote. -- São Paulo, SP : Editora Contracorrente, 2022.
Título original: Écrits sur l'histoire.

ISBN 978-85-69220-99-2
1. Comunismo 2. História - Filosofia 3. Historicismo 4. Marxismo
I. Goshgarian, G. M. II. Título.

22-105164 CDD-901

Índices para catálogo sistemático:
1. História : Filosofia 901
Eliete Marques da Silva - Bibliotecária - CRB-8/9380

@editoracontracorrente
Editora Contracorrente
@ContraEditora

SUMÁRIO

NOTA À TRADUÇÃO BRASILEIRA

Não é desprezível, embora a maioria das traduções isto ignorem, a desenvoltura e mesmo interessante estatura retórica e estilística dos escritos de Althusser. Seu fraseado, suas ênfases, suas retomadas etc., compõem no mais das vezes uma mistura de registros discursivos, pelos quais nos afetamos, pelos quais somos pegos tanto pela densidade pedagógica, mesmo da língua corrente, falada, através de expressões idiomáticas populares, por exemplo, quanto pela densidade teórica, no duplo sentido, daquela que interpela militantes e daquela que se faz propriamente típica da prática filosófica. O caráter da maioria dos escritos deste livro não foge, a despeito de seu estado manuscrito (melhor, datilografado), às notáveis densidades devidas ao cuidado retórico de Althusser. No entanto, é igualmente notável o quanto esse estado afeta o refinamento que muito provavelmente tais textos receberiam antes de uma eventual publicação. Nisso, esta tradução buscou, ao máximo que se pôde, verter tais densidades, e mesmo vertê-las preservando o estado em que se encontram a partir dos trabalhos do editor.

Assoma-se a isso a especificidade de *Uma conversa sobre a história literária* (1963), cuja natureza textual de transcrição de um monólogo oral exige a particularidade de vertê-lo considerando-o como tal, uma "fala", e mesmo bastante "solta", por assim dizer. Procurou-se manter o registro oral sempre que possível, sobretudo com o intuito de permitir ao leitor deparar-se com sua específica natureza falada, espontânea, enfim, não pensada como escrita.

Cumpre assinalar que os colchetes no corpo do texto são sinalizações, eleições de variantes ou modificações feitas pelo editor. Em contrapartida, os colchetes em notas de rodapé sinalizam a tradução de citações. Ademais, constam "notas do tradutor" (N.T.) ao longo do livro, que tratam de questões de tradução ou elucidações necessárias.

Optou-se, nesta tradução, por não colher nem cotejar referências e citações através das edições disponíveis em nossa língua pátria. A razão disso deveu-se em parte pela incompletude do quadro de traduções disponíveis, pois, do contrário, gerar-se-ia manifesto desequilíbrio entre traduções existentes em português e traduções não existentes, então, traduções que teriam sido feitas por mim. As referências e citações restaram, pois, aquelas francesas postas pelo editor e traduzidas por mim. Outra razão, entretanto, diz respeito ao próprio autor. Salvo exceções nas quais Althusser trabalha com escritos de autores em suas línguas originais (como é o caso de Marx em alguns momentos), ele fundamentalmente opera com as traduções disponíveis em língua francesa à sua época ou traduções próprias, de sorte que elas têm significativo impacto em suas reflexões.

Seguindo o bom exemplo da edição castelhana, traduzida por estimados colegas e publicada no Chile por Pólvora Editorial e Doble Ciencia Editorial em 2019, introduzimos um índice onomástico inexistente na edição original francesa a fim de auxiliar e facilitar a consulta.

Agradeço a João Quartim de Moraes e Maryse Farhi pelo auxílio quanto às expressões e termos típicos do francês dos anos de 1960 e 1970, e também agradeço a Mariana Salvador Collange pelas intensas leituras sucessivas.

DIEGO LANCIOTE

O historicismo é a política a reboque da História, a política dos comunistas a reboque da história burguesa.

LOUIS ALTHUSSER,
Nota marginal sobre um esboço
de sua apresentação de sua coletânea
Positions,
23 de abril de 1976.

O que é o historicismo? senão a expressão filosófica do oportunismo político, seu orgulho e sua justificativa.

LOUIS ALTHUSSER,
Carta aos camaradas italianos
de 28 de julho de 1986.

G. M. Goshgarian expressa seus agradecimentos a Nathalie Léger (diretora geral do Institut mémoires de l'édition contemporaine, Imec) e a toda sua equipe, a François Boddaert, Jackie Épain, Luke Épain, Peter Schöttler e Laurie Tuller.

NOTA DA EDIÇÃO ORIGINAL

Com quase nenhuma exceção, Louis Althusser não publicou nenhum dos textos sobre a história aqui reunidos: quatro pequenas notas precisando diversos aspectos de sua teoria do tempo histórico; a resposta a uma crítica generosa de sua concepção da ciência da história, publicada por um historiador marxista de renome, Pierre Vilar; a transcrição de uma discussão informal de premissas de abordagem marxista da história literária; uma definição do historicismo redigida a pedido de um jornalista filósofo soviético; o texto do que parece ter sido uma conferência ou um curso sobre "Marx e a história"; e, no centro desta coletânea, uma teorização do capitalismo mundializado intitulada *Livro sobre o imperialismo*, que é também um dos textos fundadores do materialismo do encontro althusseriano.

Trata-se de esboços e rascunhos, de observações orais que teriam sido lançadas ao improviso e registradas à boa fortuna, "Notas" destinadas a um pequeno círculo de iniciados. Os manuscritos que serviram de base para sua publicação aqui estão todos disponíveis nos arquivos de Althusser conservados no *Institut mémoires de l'édition contemporaine* (Imec) em Saint-Germain-la-Blanche-Herbe, próximo de Caen. A julgar pelo seu aspecto físico, "Marx e a história" é o único desses textos a ter sido verdadeiramente remexido. Os manuscritos dos oito outros inéditos que se lerá neste volume não foram senão muito ligeiramente retocados, diferentemente da maioria dos inéditos althusserianos publicados de maneira póstuma nos últimos vinte e cinco anos, em que um bom número foi tão fortemente retrabalhado que se pena, nalguns lugares, a decifrar os textos. Ao leitor, cabe decidir se se pode daí concluir o caráter secundário desses trabalhos postos de lado pelo seu autor. Ao seu biógrafo,[1] cabe esclarecer-nos a propósito das circunstâncias contingentes de sua gênese, das quais não sabemos quase nada. Contentamo-nos em fornecer algumas informações sobre o estado dos manuscritos e sua datação, acrescentando, para o *Livro sobre o imperialismo*, uma página ou duas sobre a forma de publicação à qual Althusser parece ter destinado antes de relegá-lo à gaveta, e, para a resposta de Vilar, algumas palavras sobre a história do diálogo inacabado entre os dois homens.

A "conversa" sobre a teoria da história literária que abre esta coletânea é, mais precisamente, um monólogo de mais de dez mil palavras escandido em três retomadas pelas questões de um interlocutor não identificado. A evidência interna mostra que esse discurso data de 1963, ainda que Althusser tenha datado a transcrição datilografada de 1965 ao organizar seus arquivos. A gravação não foi inventariada no Imec, e não pudemos encontrá-la, mas não há razão para inquietar-se com essa ausência de um original: o documento que o substitui testemunha um esforço para reproduzir as falas com fidelidade escrupulosa, beirando o fetichismo. Como prova, aquelas que começam riscadas à mão e, pois, não retomadas em nossa edição: "é evidentemente um pouco tonto gravar um troço como este sem tê-lo preparado", observação fora do texto, mostrando um tanto ostensivamente o caráter improvisado das reflexões assim recolhidas para que sejam tomadas de forma literal. Se a sequência sugere que se trata, de fato, de

1 A primeira parte da biografia já foi publicada: MOULIER-BOUTANG, Yann. *Louis Althusser, une biographie*: la formation du mythe (1918-1956). Paris: Grasset, 1992. A segunda deve ser publicada em breve.

um discurso cuidadosamente preparado do começo ao fim e até em seus detalhes, a elegância do debutar prolonga-se num certo descuido linguístico que, inofensivo ao registro oral, é, no correr de páginas, muito desconfortável à escrita. Sem tolher-lhe seu caráter informal, tomamos, pois, certas liberalidades editoriais com o texto da transcrição, notadamente dele eliminando um número considerável de repetições, de palavras de enchimento,[2] e outros tiques de linguagem althusserianos. Autorizamo-nos também, esperando a eventual descoberta da gravação e na medida em que as poucas modificações manuscritas trazidas pela transcrição não são da mão de Althusser, a corrigir certo número de locuções enigmáticas sem dúvida atribuíveis a erros de transcrição. Quando tais intervenções editoriais dão lugar a discussões, elas foram postas entre colchetes, e a lição[3] da transcrição foi dada numa nota de rodapé. Assim, substituímos "tem um estatuto" por "isto é, uma recusa"; e "ele pensa que a palavra está na coisa", por "ele [Roland Barthes] pensa que o belo está na coisa", dando em nota, nos dois casos, a lição rejeitada. Em contrapartida, a substituição de "pensar a um certo tipo de história" por "pensar um certo tipo de história" não foi assinalada. A divisão do texto em capítulos e seus títulos são feitos nosso.

Além das poucas modificações que eles comportam, os manuscritos das quatro "Notas" não apresentam nenhuma particularidade distintiva. A datação daquela que parece ser a mais antiga, a "Nota suplementar sobre a história", é incerta. Althusser fornece detalhes de precisões sobre a teoria da temporalidade histórica elaborada numa de suas contribuições a *Lire Le Capital*;[4] pode-se, pois, pensar que ele tinha feito circular essa "Nota" entre

---

2 N.T.: "Palavras de enchimento", como versei *mots de remplissage*, são palavras que aparecem na oralidade, como, *e.g.*, "né", "ó", "e aí" etc.

3 N.T.: "Lição" no sentido técnico de variante textual.

4 ALTHUSSER, Louis. "L'objet du Capital (1965)". *In*: ALTHUSSER, Louis; BALIBAR, Étienne; ESTABLET, Roger; MACHEREY, Pierre; RANCIÈRE, Jacques. *Lire Le Capital*. Paris: PUF, 1996, pp. 272/273.

seus coautores depois de recuperar-se, no início de 1966, da depressão que o tinha acometido na sequência da publicação de sua obra coletiva, em novembro de 1965. "Sobre a gênese", datada de 22 de setembro de 1966 quando foi escrita, traz uma outra precisão, materialista-aleatória *avant la lettre*, a esse mesmo conceito da heterogeneidade do tempo histórico, tomando como ponto de partida uma carta althusseriana que, infelizmente, não pudemos encontrar. "Como alguma coisa de substancial pode mudar?" (o título é feito nosso), datada de 28 de abril de 1970 quando foi escrita e não comportando senão uma só modificação, um erro de digitação, apresenta o aspecto de um datilografado depurado e destinado ao tipógrafo, o que não seria certamente o caso, pois a publicação desse pequeno texto profético teria provavelmente levado seu autor à sua expulsão do Partido Comunista Francês (PCF), quem, nessa época, estava muito decidido a permanecer nele. "Sobre a história", datado de 6 de julho de 1986, foi redigido, com mão trêmula, num clínica psiquiátrica em Soisy-sur-Seine. Com "Portrait d'un philosophe matérialiste",[5] [6] é uma das últimas reflexões filosóficas althusserianas.

"Sobre a gênese" fora publicada recentemente *online*.[7] É igualmente o caso do projeto de resposta a Pierre Vilar – redigido, provavelmente em 1972 ou em 1973 e publicado em 2016 –, com uma versão para *download* da crítica que a provocou: "Histoire marxiste, histoire en construction: essai de dialogue avec Althusser".[8]

---

5 N.T.: "Retrato de um filósofo materialista".

6 ALTHUSSER, Louis. "Portrait d'un philosophe matérialiste". *In*: ______. *Écrits philosophiques et politiques*. tome I. Textos reunidos por François Matheron. Paris: Stock/Imec, 1994, pp. 581/582.

7 ALTHUSSER, Louis. "Sur la genèse". *Décalages, revue d'études althussériennes*, 2012, vol. 1, n° 2, articles 8 et 9. Disponível em: http://scholar.oxy.edu/decalages/vol1/iss2/8; http://scholar.oxy.edu/decalages/vol1/iss2/9. Acessado em: 24.02.2022.

8 N.T.: "História marxista, história em construção. Ensaio de diálogo com Althusser".

[9] Destinada originalmente a fazer parte de uma coletânea que Pierre Nora e Jacques Le Goff editariam em 1974, essa crítica foi previamente publicada na revista dos *Annales*[10] a pedido "entusiasmado" de Le Goff, lembrara Vilar quase quinze anos mais tarde numa entrevista que testemunha o espírito no qual Althusser redigiu sua resposta.[11] "Histoire marxiste..."[12] "não é um artigo '*contra Althusser*': é um *ensaio de diálogo com*". Mostrei o manuscrito ao próprio Althusser, que me deu seu total consentimento: "está aí o ponto de vista de um historiador, disse-me; esse historiador reage perante a acusação de 'cair no historicismo'; e ele suspeita um pouco de eu 'cair no teoricismo'; de um lado, o filósofo, de outro, um praticante da história; Marx é talvez o único homem que tinha tentado ser ambos: discussão útil!" Observei, de minha parte, quando Le Goff me pediu o artigo para as *Annales*, que era a primeira vez, que eu saiba, que elas[13] imprimiam o nome de Althusser, ao passo que a primeira coisa que me perguntavam, de Atenas a Granada e de Lima a Berkeley, era: fale-nos de Althusser! Para uma revista multidisciplinar e "na moda", era paradoxal (ou então muito explicável). Trata-se de um testemunho de que a dedicatória da reprodução do artigo de Vilar, conservada nos

---

9 Com uma breve apresentação dos dois textos por Félix Boggio Éwanjé-Épée. *Période, revue en ligne de théorie marxiste* (http://revueperiode.net/inedit-althusser-et-lhistoire-essai-de-dialogue-avec-pierre-vilar/). O artigo de Vilar foi publicado pela primeira vez em. *Annales*, vol. 28, nº 1, janvier-février 1973, pp. 165-198.

10 VILAR, Pierre. "Économies, sociétés, civilisations". *Annales*, vol. 28, nº 1, janvier-février 1973, pp. 165-198, tomado em NORA, Pierre; LE GOFF, Jacques. *Faire de l'histoire*: nuveaux problèmes. tome I. Paris: Gallimard, 1974, pp. 169-209.

11 SCHÖTTLER, Peter. "Paris-Barcelona-Paris. Ein Gespräch mit Pierre Vilar über Spanien, den Bürgerkrieg, und die Historiker-Schule der 'Annales'". *Kommune*, vol. 5, nº 7, 1987, pp. 62-68. Agradeço a Peter Schöttler por ter posto a versão original dessa entrevista à minha disposição.

12 N.T.: "História marxista...", em referência ao artigo de Vilar anteriormente citado.

13 N.T.: *Annales* é feminino.

arquivos do filósofo, vem apoiar: "Para Louis Althusser, quem tão gentilmente compreendeu minha intenção, esse 'ataque' que é, na realidade, uma defesa comum. Afetuosamente, P. Vilar".[14]

Althusser deixou o texto de seu "projeto de resposta" inacabado? Nem o aspecto físico do datilografado nem seu conteúdo o provam. Pode-se mesmo perguntar se, no espírito de seu autor, esse pequeno escrito não seria destinado a ser publicado dessa forma nas *Annales* em 1973, na sequência da crítica de Vilar. Acrescentemos que, se o diálogo público entre o filósofo e o historiador não aconteceu imediatamente, ele começou dois anos mais tarde do momento da defesa de tese sobre os trabalhos que Althusser apresentou na universidade de Amiens, perante uma multidão de ouvintes e uma banca da qual Vilar era um dos cinco membros.[15] E nada nos impede de detectar em certas páginas do último Althusser, trabalhando no silêncio que se impôs após ter matado sua mulher em 1980, uma nova tentativa de diálogo com o historiador das "problemáticas conjunturais"[16] – diálogo que é talvez condenado a esperar um desses "encontros póstumos" dos quais falava Althusser[17] para trazer seus frutos.

"A Gretzky", que Althusser datou, de próprio punho, de 20 de janeiro de 1973, conheceu uma sorte que aqueles que pensam que o materialismo do encontro althusseriano nasceu em 1982/1983 poderiam considerar como surpreendente. Em 1988, uma versão do trecho desse texto publicado abaixo foi integrada em *Filosofía y marxismo: entrevista a Louis Althusser*

14 Imec, Fonds Althusser, Alt2.A22.01-08.

15 Encontrar-se-ão traços dessas trocas nas notas editorais de ALTHUSSER, Louis. "Soutenance d'Amiens". *In*: ______. *Solitude de Machiavel et autres textes*. Paris: PUF, 1998, pp. 233/234.

16 VILAR, Pierre. *Une histoire en construction*: approche marxiste et problématiques conjoncturelles. Paris: Seuil/Gallimard, 1983. "Histoire marxiste, histoire en construction" é posto no fim do volume.

17 ALTHUSSER, Louis. *Être marxiste en philosophie*. Paris: PUF, 2015, p. 238.

por Fernanda Navarro,[18] o livro que anunciou, menos de três anos antes de sua morte, em outubro de 1990, a ressureição do "último Althusser". Na ocasião de sua tradução, esse capítulo padeceu de uma metamorfose puramente formal, de sorte que sua publicação aqui não pode ser dita verdadeiramente póstuma, sem que se possa afirmar que o original tenha sido, em sentido próprio, o objeto de um publicação em vida de seu autor. Em sua versão original de 1973, ele se apresenta como uma resposta a uma questão e apenas só, posta por um soviético de nome Gretzky: "O que entender por *historicismo*?". Em sua versão de 1988, algumas afirmações dessa resposta tornaram-se questões, fazendo de um monólogo professoral um diálogo animado. Por exemplo, a observação de Althusser "decerto, o relativismo absoluto sendo insustentável (pois, no limite, nem mesmo se pode *enunciá-lo*, Platão bem havia objetado)", de "A Gretzky", é posta, quinze anos mais tarde, na boca de Navarro, na qual ela se torna interrogativa: "de fato, o relativismo absoluto é insustentável, não é mesmo? O próprio Platão bem havia objetado, pois, no limite, nem mesmo se pode enunciá-lo". A mudança assim fabricada constitui a quarto e último capítulo de *Filosofía y marxismo*.[19] Esse capítulo, não tendo sido incluído na versão francesa dessa entrevista espanhola[20] publicada em 1994 na coletânea *Sur la philosophie*,[21] [22] apareceu-nos interessante apresentá-lo ao público francófono em sua língua de origem e sob sua forma original. Seguindo Navarro, não retomamos a segunda metade de "A Gretzky", sobre o humanismo marxista de Lucien Sève e sobre

---

18 ALTHUSSER, Louis. *Filosofía y marxismo*: entrevista por Fernanda Navarro. Cidade do México: Siglo XXI, 1988.

19 ALTHUSSER, Louis. "Sobre el historicismo". *In*:______. *Filosofía y marxismo*: entrevista por Fernanda Navarro. Cidade do México: Siglo XXI, 1988, pp. 89-97.

20 N.T.: De fato, a entrevista é mexicana.

21 N.T.: "Sobre a Filosofia".

22 ALTHUSSER, Louis. *Sur la philosophie*. Paris: Gallimard/NRF, 1994, pp. 13-79.

o estruturalismo como "filosofia espontânea dos cientistas": ela nada contém que Althusser não tenha dito melhor alhures.

"A propósito de Marx e a história" seguiu o percurso da letra inédita althusseriana. O texto conheceu três versões sucessivas. O estado mais antigo, datilografado, traz um bom número de modificações manuscritas. Elas foram integradas numa segunda versão remanejada e redigida à máquina, depois, por sua vez, modificada à mão. Essa segunda versão foi em seguida fotocopiada e ligeiramente retocada à mão, terminando na pasta da qual a retiramos quarenta anos mais tarde. É possível, todavia, que uma das duas primeiras versões do texto assim enterradas pelo seu autor tenha encontrado ouvintes, se não leitores: um lembrete que integra o texto datilografado toma a forma – "ler p. *n*" – da qual Althusser se servia habitualmente quando tinha a intenção de citar, durante um curso ou uma conferência, uma passagem que ele não queria recopiar. Datada de 5 de maio de 1975, essa versão traz também, em sua primeira página, uma palavra manuscrita dificilmente legível que poderia ser o topônimo "Gien" ou "Giens" (ou outra coisa). Essa palavra desaparece nas versões posteriores, assim como o lembrete "ler p. 192", substituído por uma referência bibliográfica. Parece, pois, que "A propósito de Marx e a história" seja o texto de uma conferência que Althusser tinha, num dado momento, considerado editar sob uma forma ou outra. Estabelecemos nossa edição dessa conferência presumida em sua versão mais recente, ela também datada de 5 de maio de 1975, dando em notas de rodapé as variantes mais interessantes que se encontram nas versões anteriores.

O inédito que domina a presente coletânea tem suas origens num texto intitulado "Sobre a crise final do imperialismo", "escrito no trem entre Bolonha e Forlì e [*lacuna*] julho de 1973", segundo uma nota que Althusser rabiscou numa de suas quatro versões manuscritas e doravante completou, datando essas páginas dificilmente legíveis de 9 de julho. Pouco tempo depois, ele se propôs fazer desse trabalho em curso a introdução a uma pequena obra deselegante e provisoriamente intitulada "Qu'est-ce que l'impérialisme: vers la crise finale de l'impérialisme",[23] como testemunha disto uma carta que ele endereça a Étienne Balibar, de 19 de julho, durante uma estadia na Bretanha. Os diferentes capítulos, aos quais esse projeto de livro dá origem, materializam-se, então, com uma velocidade tal, que é preciso crer que seu autor os tinha redigido mentalmente antes de colocá-los no papel, o que ele sugere, à sua maneira, numa carta enviada a Franca Madonia de Paris, em 15 de agosto: "Tenho de escrever duas ou três coisas capitais do ponto de vista teórico e político, as tenho na cabeça [...]".[24]

Nessa data, ele já tinha redigido, em sentido próprio, dois dos dez capítulos ou subcapítulos que ia produzir antes de abandonar seu projeto "Sur le rapport des marxistes à l'oeuvre de Marx",[25] [26] datado de 14 de agosto, e um outro, não retomado aqui, escrito ao final do mês de julho. Todo o resto do *Livro sobre o imperialismo* tal como nós o temos toma forma entre 17 de agosto, data na qual seu autor se põe a redigir "Qu'est-ce qu'un mode de production ?",[27] e, provavelmente, o final de agosto, o que parece ser a mais recente das quatros versões da "Advertência", trazendo a data de 29 de agosto. Desde sua redação, Althusser envia alguns capítulos de seu manuscrito ao juízo de seus próximos: Yves Duroux, Étienne Balibar, Emmanuel Terray, Hélène Rytmann. Balibar, Terray e Rytmann, sua companheira, fornecem-lhe comentários escritos conservados em seus arquivos, dentre os quais aquele de Terray, datado, confirma a datação althusseriana do texto.

---

23 N.T.: "O que é o imperialismo (?): rumo à crise final do imperialismo".

24 ALTHUSSER, Louis. *Lettres à Franca*: 1961-1973. Ed. Y. Moulier-Boutang e F. Matheron. Paris: Stock/Imec, 1998, p. 806. Numa carta a Hélène Rytmann não datada pelo seu autor [28 de agosto de 1973], Althusser gaba-se da rapidez com a qual pôde superar os problemas teóricos postos pelo imperialismo: ALTHUSSER, Louis. *Lettres à Hélène*: 1947-1980. Ed. O. Corpet. Paris: Grasset, 2011, p. 636.

25 N.T.: "Sobre a relação dos marxistas com a obra de Marx".

26 Demos esse título ao texto seguindo uma indicação de François Matheron.

27 N.T.: "O que é um modo de produção?"

Esses capítulos não foram, contudo, modificados à luz das críticas que o filósofo pôde receber: eles existem numa só versão que não sofreu nenhuma modificação, com exceção daquelas, inumeráveis, efetuadas ao curso da digitação. O mesmo dá-se com todo o resto do corpo do texto. O manuscrito que serviu de base para nossa edição do *Livro sobre o imperialismo* (a versão definitiva do título) é, pois, em grande parte, um primeiro esboço, um "livro" ao qual seu estado inacabado e a diversidade de problemas abordados dão antes um aspecto de uma coletânea de artigos, em que a relação com a questão do imperialismo nem sempre salta aos olhos. Althusser estava, ele mesmo, bem consciente do caráter descosido do texto que estava pondo no papel, um "fogo contínuo sobre todos os tipos de objetivos possíveis", segundo uma autoavaliação dos primeiros capítulos que ele partilhou com Emmanuel Terray, em 19 de agosto. Ele até mesmo intencionava, nesse estágio de seu trabalho, fazer dele duas obras distintas, em que uma, escreve a Terray numa carta acompanhando o envio de uma fotocópia de "O que é um modo de produção?", seria "muito ordenada e pedagógica", e "menor" que a outra.

É provável que o livro "pedagógico" fosse destinado, ao menos em sua mente, a dar lugar a uma nova coleção que as edições Hachette lhe tinham pouco tempo antes proposto criar – proposta que Althusser ansiava, em parte porque ele estava persuadido de que François Maspero, para quem ele dirigia uma coleção, "Théorie", a qual tinha acolhido seus próprios textos desde 1965 e também aqueles de um bom número de seus colaboradores, estava perdendo velocidade. O "princípio" da nova coleção, "Analyse", estava já "obtido" antes do fim do verão, segundo uma carta que seu futuro diretor endereçou a Renée Balibar em 28 de outubro. As obras que iam finalmente publicar ali tinham sido realizadas muito anteriormente: duas das quais a própria Renée Balibar era a principal autora, e uma coletânea, *Éléments d'autocritique*,[28]

---

28 N.T.: "Elementos de autocrítica".

[29] na qual Althusser tinha redigido o texto principal epônimo no verão de 1972 e o outro em junho de 1970. A "coisa tão importante sobre o imperialismo"[30] não teve o tempo de ser adicionada. Alguns meses depois da publicação dessa coletânea da Hachette no outono de 1974, essa segunda e última coleção althusseriana cessou, essencialmente porque seu diretor recusou, em janeiro de 1975, a comprometer-se "a não exaltar, seja sozinho ou em colaboração, nenhuma coleção de obras que fosse de natureza tal que concorresse diretamente" com "Analyse" – melhor dizendo, "abandonar François Maspero e passar a um editor burguês", citando os termos de muitas circulares semelhantes difundidas desde outubro de 1973, segundo Maspero, "na prensa provincial controlada por Hachette".[31]

Essa desventura editorial teria freado fatalmente o projeto de um *Livro sobre o imperialismo*? Ou seu abandono deveu-se à depressão devastadora, cujos sinais precursores haviam se manifestado, ou sob forma de, sua redação frenética, impondo uma "lentidão"[32] nos últimos dias de agosto antes de tomá-lo e conduzi-lo à clínica psiquiátrica um mês depois? Seria a heterodoxia materialista-aleatória desse texto, ao final pouco pedagógica, que tornaria inoportuno a continuação do projeto após o reestabelecimento do filósofo em 1974? Seria o risco político da exposição,

---

29 ALTHUSSER, Louis. *Éléments d'autocritique*. Paris: Hachette, 1974. (Analyse). O texto de 1970 é "Sur l'évolution du jeune Marx".

30 Carta não datada [28 de agosto de 1973] a Hélène Rytmann. ALTHUSSER, Louis. *Lettres à Hélène*: 1947-1980. Paris: Grasset, 2011, p. 639.

31 ALTHUSSER, Louis. *Lettres à Hélène*: 1947-1980. Ed. O. Corpet. Paris: Grasset, 2011, pp. 639/640; carta de 16 de agosto de 1973 a Étienne Balibar; carta de 18 de agosto de 1973 a Étienne Balibar; carta não datada [outono de 1973?] a P. Macherey; "Correspondance au sujet de la collection 'Analyse' dirigée par L. A.", Imec, Fonds Althusser, Alt2.A45-02.02. Em 1980, Althusser e Hachette estavam quase ressuscitando "Analyse".

32 Carta não datada [28 de agosto de 1973] a Hélène Rytmann. ALTHUSSER, Louis. *Lettres à Hélène*: 1947-1980. Ed. O. Corpet. Paris: Grasset, 2011, pp. 639/640.

conduzindo um ataque intransigente, resultante desse materialismo heterodoxo, contra a teoria do imperialismo que então estava em curso no Partido Comunista Francês? Ou Althusser teria apercebido-se do fato de que seu *Livro* era tão pouco "ordenado" que não tinha da obra senão o nome, e que valia mais, pois, integrar suas diversas partes, remanejando-as noutras obras futuras – tarefa com a qual se comprometeu, num certo sentido, na segunda metade dos anos 1970?

Quaisquer que tenham sido os motivos de sua decisão, ele deixou o *Livro sobre o imperialismo* no fundo da gaveta. Tirando-o de seus arquivos quarenta e cinco anos mais tarde, não tentamos lhe impôr a unidade e a coerência que manifestamente lhe faltam, exceto que dele retiramos alguns capítulos ou subcapítulos, os quais se pode pensar que teriam sido relegados ao "pequeno livro pedagógico" da coleção "Analyse" – mais precisamente, de uma "série" teorético-política dessa coleção que seria destinada aos militantes do Partido Comunista Francês e a outros partidos e movimentos de esquerda.[33] Ainda uma palavra, a fim de concluir, sobre esses textos que excluímos do *Livro sobre o imperialismo.*

Trata-se, em primeiro lugar, daqueles que desenvolvem uma refutação da doutrina econômica que tinha o favor da direção do PCF desde meados dos anos 1960. Tomando, segundo Althusser, como ponto de partida ou como pretexto uma má interpretação da tese leninista segundo a qual o capitalismo dos monopólios e, pois, o imperialismo fossem a "antessala do socialismo", essa

33 A ideia, proposta por P. Macherey (carta não datada [outono de 1973?] a Macherey), de dividir "Analyse" em diferentes séries foi adotada por Althusser desde antes da publicação simultânea das duas primeiras obras de sua coleção, publicadas no início de 1974 na série "Langue et littérature". Ela permitiu-lhe superar sua hesitação em lançar "Analyse" com livros destinados a um público de especialistas da literatura: R. Balibar com G. Merlin e G. Tret, *Les Français fictifs*, e R. Balibar com D. Laporte, *Le Français national.* Cf.: Carta não datada [28 de agosto de 1973] a Hélène Rytmann em ALTHUSSER, Louis. *Lettres à Hélène*: 1947-1980. Ed. O. Corpet. Paris: Grasset, 2011, p. 640.

teoria do "capitalismo monopolista de Estado" constituía, aos seus olhos, uma perversão historicista do marxismo e, por conseguinte, uma racionalização teórica do reformismo e do oportunismo que ele combatia no interior de seu partido havia quinze anos. Se não retomamos esses textos, não é porque eles teriam perdido seu interesse na época da "mundialização" – ao contrário –, mas para facilitar um projeto de publicação em curso visando reagrupá-los com outros inéditos althusserianos que tratam mais particularmente de questões econômicas. À espera de sua realização, o leitor encontrará uma excelente apresentação da crítica althusseriana da teoria do capitalismo monopolista de Estado numa obra póstuma datada de 1976, *Les Vaches noires: interview imaginaire*.[34] [35]

Também descartamos uma página sobre o mais-valor absoluto, outra sobre a concepção gramsciana da hegemonia e um escrito de algumas páginas sobre o papel das ciências e das técnicas no capitalismo, os três tendo antes a característica de notas que de textos contínuos, assim como a "Introdução", descartada entre as diferentes versões inacabadas que Althusser teria, sem dúvida, querido sintetizar, mas que nós não estamos autorizados a sintetizar em seu lugar. Quanto à "Advertência", retomamos a versão que parece ser a mais recente, deixando as outras de lado.

Os erros de escrita e os erros de pontuação e de ortografia foram retificados. Em particular, a ortografia de algumas palavras, por vezes escritas com letra maiúscula, por vezes com letra minúscula, foi padronizada.

G. M. GOSHGARIAN

34 N.T.: "As Vacas negras: entrevista imaginária".

35 ALTHUSSER, Louis. *Les Vaches noires*: interview imaginaire. Paris: PUF, 2016, pp. 391-414.

[UMA CONVERSA SOBRE A HISTÓRIA LITERÁRIA] (1963)

A questão que está em causa é aquela de uma via direta, que não passe através de encobrimentos ideológicos, para uma problemática da história literária enquanto tal.

Como podemos formular isso? Podemos partir do conceito que é aceito, que é recebido, o conceito de história literária. Há dois termos aí dentro: há história, e há literário. É preciso saber o que é esse tipo de história, se ele é possível, em que consiste, isto é, quais são os conceitos que permitem pensá-lo e enunciá-lo.

A primeira das coisas é evidentemente distinguir a história da crônica, pois uma crônica não é uma história. Podemos dizer que a maioria das histórias literárias existentes atualmente são crônicas literárias disfarçadas que têm por álibi ou por pretexto um objeto real, mas que não é aquele da história ao nível ao qual a história literária é entendida e visada, de fato, por aquele que a faz.

Podemos talvez vê-lo agora mesmo.

O que é a crônica? É um cara que narra eventos que se produziram. A crônica é uma narrativa em que um cara diz: "eu estava aí e passou-se isto, então, depois, passou-se outra coisa". Ou antes, um cara narra o que outros viram. De qualquer maneira, a crônica é uma sequência de testemunhos, seja de testemunhos pessoais daquele que narra, seja de testemunhos pessoais de testemunhas que ele ouviu e que lhe narraram o que viram. Uma vez formada, a base da crônica é a cronologia, é o tempo, o *cronos*... O conceito de uma crônica é a continuidade do tempo. Continuidade, aliás, mais ou menos arbitrária, pois, de fato, ela é dividida. O tempo das testemunhas é o tempo da vida ordinária: é o tempo dos anos, o tempo do calendário. Também pode ser o tempo que é ritmado por um certo número de eventos considerados como essenciais para o indivíduo em questão. Por exemplo, ele pode sobrepôr ao tempo dos anos o tempo de suas próprias histórias pessoais: seu casamento, suas doenças. (Eis uma coisa a fazer sobre Montaigne para ver qual é a superposição em Montaigne do tempo oficial, do tempo de todo o mundo e, então, de seu tempo a si – da história de suas viagens).

É a forma exterior da maioria das histórias literárias clássicas. (Não falo das novas tentativas de crítica literária do tipo Richard[36] e outros). Alguém narra o que se passou e a estrutura fundamental da narrativa é aquela da cronologia, com ritmos evidentemente específicos que podem ser ora simplesmente o ritmo dos anos, dos meses que se sucedem, ora o ritmo dos eventos importantes da vida do cara. Não é para se fazer uma dedução a partir da crônica de uma história psicológica ou de uma história biográfica do cara, mas é evidente que há uma continuidade imediata entre a crônica, a história literária como crônica, de um lado, e a história literária como biografia literária de um indivíduo.

Então, põe-se o problema de saber qual relação há entre o que ele escreveu e o que escreveu depois, de saber se há obras de juventude e obras de maturidade, de saber se há conversões etc.

---

36 RICHARD, Jean-Pierre. *L'Univers imaginaire de Mallarmé*. Paris: Seuil, 1961. Cf.: RICHARD, Jean-Pierre. *Stéphane Mallarmé et son fils Anatole*. Paris: Seuil, 1961. Trata-se da tese de doutorado principal e da tese de doutorado complementar de Richard.

Mas, enfim, tudo isso situa-se, em todo caso, num tempo que tem por pressuposição ser um tempo contínuo, aquele da cronologia – seja exterior, social, seja o que na cronologia comum a todos os homens corresponde à cronologia da biografia de tal indivíduo particular.

É aí que se enxerta – evidentemente, não necessariamente por dedução lógica, mas pela utilização de aportes exteriores, conceitos exteriores, psicológicos e outros – tudo o que se pode chamar de o fundo de seu último conceito, utilizado pela história literária atual (clássica, eu penso), e que consiste no fundo em tentar dar conta de um devir a partir de eventos que escandem a existência de um indivíduo que se encontrou a pôr-se num belo dia a escrever, escrever, escrever... e que é conhecido como tal, sem refletir o fato que se reflete essencialmente sobre um indivíduo que é reconhecido historicamente como tal. Isto é, se consideramos só ao fundo, todo mundo poderia tornar-se escritor, e os indivíduos que se tornaram são simplesmente caras que tiveram sorte em relação aos outros.

É o que permite ao crítico literário, aliás, considerar que, com um pouco de sorte, teria podido ser o autor que ele está explicando! De fato, isso dá grande segurança se considerarmos que, no fundo, se Chateaubriand tornou-se o que era, bem, é porque ele foi jogado no exílio; ou antes, se Flaubert tornou-se o que se tornou, é porque ele teve uma infância horrorosa. Então, o cara que teve a infância feliz, ele consola-se.

É muito esquemático. Mas, enfim, por esse meio aí, pelo meio da cronologia biográfica do autor sobre o qual o historiador da literatura narra a história, estabelece-se uma espécie de contato pessoal direto entre o historiador e o escritor sobre o qual ele narra a história. Eles comunicam-se imediatamente, pois nasceram todos [os dois],[37] em seguida, eles puseram-se um dia a escrever todos

37 Há uma lacuna na transcrição após "todos".

[os dois]:[38] o historiador da literatura também pôs-se a escrever um dia. Então, eles encontram companhia.

Há somente uma pequena diferença. É que o escritor escreve melhor que o historiador da literatura. Daí eles não têm o mesmo objeto. Isso é uma pequena diferença da qual é preciso dar conta.

Creio que é assim mesmo o fundo comum da estrutura da problemática em história literária. Aí pode ter variações aos montes: a psicologia do indivíduo ou sua biografia psicológica pode ser concebida de maneiras muito diferentes. Podemos buscar com Guillemin,[39] por exemplo, todas as histórias, mais ou menos, pensando que é nelas que reside o segredo da biografia de Rousseau etc. Ou antes, não as buscar. Podemos nos ater simplesmente a tal ou tal episódio; podemos escavar mais ou menos, podemos pôr as mãos nas tripas, ou antes, restar na superfície.

Isso também pode ser mudado pelo aporte de técnicas psicológicas novas, em particular pelos conceitos psicanalíticos. Seria preciso ver o que Mauron[40] faz com isso, pois é muito possível que os conceitos dele não sejam exatamente conceitos psicanalíticos...[41] pois eles são tomados como sendo conceitos que podem dar conta de uma biografia.

Nesse sentido, os conceitos psicanalíticos são o equivalente de conceitos psicológicos naqueles rapazes. Quando Mauron explica

---

38 N.T.: Em francês a construção é a seguinte: "(...) tous [les deux] (...) tous [les deux] (...)". De fato, *tous [les deux]* versa-se por "ambos", todavia, por conta da lacuna assinalada pelo editor e pela introjeção, na lacuna, de *les deux*, preferiu-se manter a construção literal, "todos [os dois]".

39 Henri Guillemin, autor de muitas obras sobre Rousseau, dentre as quais "Cette affaire infernale". GUILLEMIN, Henri. *L'affaire Rousseau-David Hume, 1766*. Paris: Plon, 1947.

40 MAURON, Charles. *Des métaphores obsédantes au mythe personnel*: introduction à la psychocritique (Mallarmé-Baudelaire-Nerval-Valéry). Paris: José Corti, 1963.

41 O datilografado traz "psicológicos".

que Mallarmé deu tal forma a tal verso, [fazendo] intervir certo número de conceitos psicanalíticos; esses conceitos psicanalíticos têm dupla entrada, ou antes, entrada e saída. A entrada é a vida do rapaz, é o que lhe acontece, é uma interpretação psicanalítica da biografia do cara. A saída é a presença de estruturas psicanalíticas num comportamento literário do rapaz. Não é a mesma coisa. Porque, evidentemente, Mauron, nesse caso, negligencia alguma coisa de fundamental: é que todos os comportamentos psicanalíticos em todos os indivíduos dão lugar a manifestações, mas só as manifestações de certos indivíduos são consideradas como valores estéticos.

Eu diria, então, a seguinte coisa: é que temos, de um lado, a história literária, que é concebida, como alicerce, com uma concepção da história. Pois quando falamos de história, é preciso saber o que se põe detrás dessa palavra. No limite, é uma concepção da história como crônica, isto é, como cronologia, a qual pode ser, então, como cronologia, seja a cronologia das produções literárias pura e simplesmente, seja a cronologia da autobiografia do cara, com a pesquisa de explicações desse lado. Ou então, noutro extremo, pois, evidentemente, essa cronologia não dá conta do fato de que se trata de uma obra literária, uma vez que o parentesco entre a crítica nova e seu objeto põe-se sobre o fato de que ambos são uma autobiografia, que têm, pois, o mesmo ritmo de desenvolvimento. Isso resulta no fato de que um escreve uma obra que o outro comenta, mas aquele que escreve para comentar a obra do primeiro jamais será comentado como a obra deste.

Portanto, há uma [escala] de valores entre os dois. Essa diferença de nível, a crítica dá conta aí. É obrigada a buscar uma compensação, e é porque, enfim, toda a história literária que se apresenta como cronologia, talvez psicológica ou mesmo sociológica, é obrigada a buscar uma compensação numa estética não histórica, inevitavelmente: isto é, numa teoria do que é o específico do objeto de arte, do objeto literário como tal. Por aí, somos remetidos, inevitavelmente, a outro conceito que está no termo de história literária, ao literário como texto, isto é, ao objeto literário, o que faz com que um objeto tido como objeto literário não seja um objeto de consumo corrente. Um objeto literário não é um artigo de jornal, não é um panfleto de publicidade para uma vassoura etc. Tem outra dignidade. Então, a teoria da diferença específica do objeto literário como tal leva necessariamente a uma estética.

Isto é, na concepção clássica da história literária, temos, necessária e primeiramente, uma história literária com uma concepção da história que no fundo leva novamente à crônica. Ela é totalmente impotente para dar conta, em seu nível, do fato de que um indivíduo que tem uma vida como todo mundo e vive num tempo que se passa como todos os tempos, num momento dado, torna-se o autor de uma obra dita literária. E, por outro lado, temos uma estética de compensação, temos um alongamento, inevitavelmente, a fim de dar conta disso que a história crônica não dá.

Isso é o domínio da filosofia. Toda a história literária vem necessariamente com uma ideologia da estética, uma ideologia, latente ou explícita, que é seu complemento necessário. Não temos historiador da literatura que, num dado momento, se detenha perante o carácter estético da obra de arte como perante o sagrado, [a fim de] esboçar uma teoria: quer ele seja platônico, quer ele seja hegeliano, quer ele seja tudo o que se queira. (Em geral, os hegelianos são um pouco mais consequentes, pois tentam meter a estética na própria história; mas a maior parte do tempo, os caras detêm-se perante a este sagrado, este monstro sagrado que é o próprio fato da existência da modalidade estética do objeto que estudam).

Esse sagrado é, por exemplo, a história de um deus que se faz homem – não é uma comparação, é uma aplicação real. E, bem, o sagrado começa desde o nascimento. O historiador da literatura estética como tal encontra a modalidade estética de seu objeto desde o nascimento. Disso, toda uma estética da criação estética. Quase "criancinha crescerá se Deus lhe der vida". Como a criancinha é o próprio Deus, dá vida a ele mesmo. Então, isso continua, isto é, após seu nascimento, desenvolve-se e conhece todos os tipos de avatares, conhece todos os tipos de desgraças, incluindo a paixão. [E então] acabou. E tudo isso é estético.

Melhor dizendo, temos categorias estéticas: da criação estética, da paixão estética, do sofrimento estético, da morte estética. Essa pseudo-história estética nada mais é que a projeção de categorias estéticas, isto é, de uma ideologia da estética na qual o historiador literário busca os traços na história sensível do mundo, como os teólogos que buscam o traço de Cristo, do Deus feito homem na história concreta da humanidade.

Isso se passa do lado do Antigo Testamento, do Oriente Médio etc. Por que isso se passa lá? É assim, e isso é tudo. O problema acha-se invertido: por que é que o sagrado da estética, a estética como tal, acha-se tendo sido encarnada tal dia em tal indivíduo que, num belo dia, em estado de transe, foi a sede de uma criação artística? Por que é que o leiteiro da esquina não teria direito, também ele, à criação estética?

Evidentemente, tudo isso supõe que haja caras que estão em relação com esse mundo da realidade estética como tal, que não sabemos bem por que se destacam, simplesmente por que eles são efetivamente escritores. Isto é, o fato de que eles sejam escritores não é absolutamente refletido.

A estética como estrutura: Roland Barthes

Essa estética, ela mesma pode ser o objeto de diferentes variações, diferentes temáticas etc. Em todo caso, seu pressuposto fundamental é que o que é da estética, é um objeto estético. Para tomar um exemplo: as teorias críticas modernas, tipo Richard ou mais ao lado de Barthes,[42] para a biografia, eles não estão nem aí.

---

42 BARTHES, Roland. *Sur Racine*. Paris: Seuil, 1963. Em 7 de maio de 1963, Barthes enviou um exemplar desse livro a Althusser, que o leu imediatamente. ALTHUSSER, Louis. "Lettre du 8 de mai de 1963 à Franca Madonia". *In*: ______. *Lettres à Franca*: 1961-1973. Paris: Stock/Imec, 1998, pp. 412/413.

Isto é, para a *crônica* individual do autor, eles não estão nem aí; para a crônica histórica do tempo, eles não estão nem aí. Eles não estão nem aí, em geral, para a história. Eles interessam-se pela obra.

Mas, na obra, eles interessam-se pelo quê? Eles interessam-se pelo que podemos chamar de estrutura estética da obra, pela estética que é pensada como estrutura. Se nos perguntamos, por exemplo, onde um cara como Barthes situa-se: ele diz-se estruturalista, claro, mas, de fato, qual é o seu negócio? Ele trata a obra de arte como objeto estético. Ele não se põe, jamais, a questão: como faz-se que tal obra seja considerada, que ela exista como objeto estético? Isto é, ele não se põe nunca a questão do fenômeno cultural do objeto estético como tal. Ele interroga-se simplesmente sobre o que ele chama de estruturas. Isto é, no lugar de fazer uma estética de tipo platônico, ele definiria um [belo][43] em si etc.

É muito esquemático, mas, no grosso, isso retoma aquilo. Ele pensa que – aí, ele é aristotélico, se quisermos – o belo está na coisa mesma, que a estrutura do belo, enfim, a estrutura platônica do belo, está inscrita na coisa mesma, e não fora da coisa. Ela está na obra. Então, a leitura de estruturas, o desprendimento de estruturas da obra, é praticamente a leitura da estética como tal: a estética não é mais, nesse momento, uma ideologia da transcendência do belo com relação à obra de arte. É uma leitura da imanência de estruturas do belo, de estruturas estéticas na obra mesma.

Isso é muito importante, pois é o que distingue [Barthes] de um estruturalismo que se diz estruturalismo, mas que é, de fato, somente um dos subprodutos da tradução estética clássica. Creio que Barthes é isso em grande parte. Há outras coisas nele, mas, finalmente, é a isso que se reduz. É o lado para o qual ele pende, é aí que ele cai, que vai cair. Por um lado, enquanto há também outra forma de estruturalismo, mas que pressupõe, justamente,

43 A transcrição traz "uma palavra em si".

todas as questões que não são postas por todas essas correntes à obra de arte em si mesma.

A visibilidade à escolha: Roland Barthes e Jean-Pierre Richard

Pegue um cara como Richard: enfim, falo a você a partir do que conheço disso. Um cara como Richard, ele também toma a obra de arte como estética. Ele não se põe a questão de saber o que permite dizer o que é uma obra estética. É a questão fundamental.

Richard faz uma temática da obra. À sua maneira, ele estuda uma certa estrutura da obra, não uma estrutura no sentido em que Barthes a entende: um sistema de significantes implicados uns noutros, remetendo-se uns aos outros etc. e formando um sistema fechado, cuja própria abertura tem por condição de possibilidade um fechamento prévio. Em Richard, trata-se de fazer aparecer temas que precisam ser descobertos através de variações. A obra de arte é concebida como uma espécie de sinfonia, que é ela mesma concebida como sendo um desenvolvimento de toda uma série de temas fundamentais que correm através da obra, que correm, ao mesmo tempo, quando estão visíveis e, ao mesmo tempo, quando estão ocultos. É preciso torná-los visíveis. É preciso tornar visível o oculto a partir do que é visível do visível.

Todo o problema está aí, justamente porque o que é o visível? O visível é o que se vê. Ele é o oculto, é interpretado como oculto a partir do que é visível dele quando ele é visível. Então, esse visível, é preciso que ele seja visível para todo mundo, para o próprio Richard. Isto é, é preciso uma escolha na obra a partir do que ele vê, a propósito da seleção que faz na obra de temas que correspondem à sua própria visão. Você sabe, a palavra de Éluard: "Não é preciso ver a realidade tal como sou".[44] É um pouco isso. Richard

---

44 ÉLUARD, Paul. "Confections, n° 10". *In*: ______. *Oeuvres complètes*. tome I. Ed. M. Dumas e L. Scheler. Paris: Gallimard, 1968, p. 301.

vê Mallarmé tal como ele é. E a partir daí ele desenvolve uma espécie de temática, a ascensão de temas fundamentais, exatamente como numa sinfonia – a rigor, o relacionar-se deles, mas pode ter aí muitos temas, relativamente interdependentes, entrecruzando-se, cortando-se, jogando esconde-esconde, correndo um atrás do outro, recuperando-se, não se recuperando. O fato de não se recuperar é uma distância que está inscrita, em todo caso, entre dois temas existentes, uma vez que o fato de recuperar-se define um espaço.

É esse espaço do tema – tema fluído, fluente, corrente, paralelo, não paralelo, cruzando-se, entrecruzando-se, sobrepondo-se, dissimulando-se – que constitui a obra. Isso constitui uma espécie de análise muito mais subjetiva que aquela de Barthes, uma vez que este desprende a estrutura da estética como tal, enquanto Richard desprende não as estruturas da estética como tal, mas de alguma maneira as correntes ou os temas que correm através da estética como tal.

A vantagem de Richard sobre Barthes – não falo de vantagem em absoluto, falo de vantagens para o próprio Richard sobre Barthes – é que isso lhe permite ficar na tradição, ficar na tradição literária, pois isso vai permitir-lhe reintroduzir a história do indivíduo, a história do autor. Os temas são desprendidos só a partir de uma espécie de misto em que, ao mesmo tempo, intervêm a leitura dos temas – isto é, a constatação de sua presença na obra, a constatação do visível – e também, o que é o mais importante, o fato de que Richard vê o que ele está afim de ver: ele próprio vê-se na obra.

Daí todos os temas da sensibilidade, da sensação, enfim, essa espécie de epicurismo literário que faz o fundo da interpretação que é a sua, que é sua própria ideologia, sua própria relação com a vida. Basta conhecê-lo um pouco para saber que é uma coisa pessoal. Não é uma obra universitária. É uma coisa pessoal, uma maneira não simplesmente de viver suas relações com o mundo universitário, mas de fazer a síntese de suas relações com a vida e com o mundo universitário numa tese. Quando chega-se a isso, é prodigioso! É o ideal de todas as pessoas que, sendo universitárias, anseiam que pensemos que elas não o são. Quando chega-se a isso, é-se ao menos livre em face da universidade: explicamos aos universitários que, se escrevemos essa tese, não é jamais para lhes dar prazer, mas para dar prazer a si. E a melhor prova é que a demonstração da tese é a vida que levamos todos os dias. Quando a tese junta-se à vida cotidiana, é-se livre, é-se livre em face da universidade.

Eu dizia que a vantagem de Richard sobre Barthes é que o fato de falar não de uma estrutura estética, mas do tema que percorre o domínio da estética, faz com que o domínio da estética seja não um mundo fechado definido por sua estrutura, como em Barthes, mas de alguma maneira o ambiente no qual se manifestam os temas. Como uma espécie de jardim ou de campo aberto, onde, de repente, como no campo de uma câmera, vemos aparecer moleques que se põem a correr à direita e à esquerda na relva. E, bem, eles vêm de algum lugar, os moleques. Na estrutura de Barthes, no campo fechado, não há moleques que correm. Isso vem de nenhures. É uma estrutura imóvel que comanda todas as variações: se isso enferruja em algum lugar, enferruja porque não se mexe. Ao passo que, na temática de Richard, se isso corre para algum lugar, corre porque vem de alguma lugar, há alguma coisa que percorre. Temos uma justaposição no espaço imóvel que é aquele do domínio da estética como tal, e dos temas que a atravessam e que correm no através.

Temos, pois, uma dissociação. Enquanto temos, em Barthes, uma teoria imanente da estrutura com relação ao seu objeto, uma vez que é a própria estrutura da coisa, em [Richard], temos temas que aparecem numa estética como um domínio que pode ser percorrido por temas diferentes. O domínio da estética pode ser percorrido em Mallarmé por tal ou tal tema: do pudor, da frigidez, enfim, tudo o que se queira... do cristal, da transparência inumana. Ou em outros caras por outros temas. Em todo caso, cada autor dispõe, na medida em que é autor, de um acesso ao campo da estética, e daí ele faz correr suas pequenas projeções pessoais. É projeção privada: há uma tela, cada um tem sua tela, é o domínio da estética, e daí faz-se correr suas projeções.

Mas as projeções, elas vêm de outros lugares. Isso permite a Richard fazer a síntese entre o que é o equivalente de uma estética clássica, as novas apresentações do domínio da estética clássica, [e] o domínio da biografia: isto é, da história como crônica pessoal, crônica individual. Então, faz-se uma psicologia que cola com o que ele quer demonstrar. De maneira geral, ele diz que é assim que isso se passa. Sendo dado que o pai de Mallarmé fez correr tal ou tal tema através da verde pradaria da estética (ela jamais é verde, a pradaria da estética, sobretudo, não em Mallarmé), mas, enfim, ele faz percorrer isso porque, evidentemente, a estética lhe pertence de direito, é bem sabido. Os autores, os artistas, eles têm entrada gratuita: para eles, é sempre domingo nos museus.

Ao passo que [Barthes] não é isso. Não são sempre os mesmos personagens que percorrem, que entram nos museus. Há diferentes maneiras de percorrer um museu.

O problema que se põe para Richard é acordar justamente a velha concepção da história literária como crônica de uma vida com, e como que por acaso, valor estético. E depois, por outro lado, o que não podemos chamar nele de estrutura da estética como tal, mas, digamos, os movimentos que percorrem, que deixam traços, que sulcam; quase *frissons*, correntes, correntes de vento, eu diria, correntes de ar, pois não é... Sim, enfim, as correntes que percorrem. Há uma espécie de corrente individual, é uma espécie de circulação.

INTERVENÇÃO:

"*Richard... o tema da fluidez que reencontramos na água que flui, o córrego...*"

Mas isso aí é formidável. Eu não sabia tanto sobre Richard. Pois isso quer dizer que ele encontrou um tema que é a própria reflexão de sua própria prática. É absolutamente notável. Pois finalmente, quando falamos de um tema, isso pressupõe a ideia de que alguém percorre algo, um mundo no qual ele tem o direito, enfim, ele tem o livre movimento, e que lhe confere sua essência de tema estético. É isso. À noite todo gato é pardo. No domínio da estética, no fundo, todos os temas são estéticos. É um pouco isso.

Desse fato, então, o que caracteriza os temas é percorrer – isto é, a possibilidade de variar, de mudar, sendo totalmente fieis a eles mesmos. Infiel constância, constante infidelidade. Em suma, os temas mudam, é o que lhes permite de se tornarem invisíveis enquanto eles são em si visíveis. Finalmente, a visibilidade desaparece no momento em que ela é retomada teoricamente sob a forma do tema, uma vez que o que faz um tema não é ser visível. Não é sua visibilidade empírica que faz o tema. É poder ser visível ou invisível ao bel-prazer. A essência interna que define o tema como tal neste mundo é, pois, a possibilidade de circulação. O tema, ele circula, é fluído.

Enfim, é notável essa história.

Um espaço da liberdade

Isso põe dois problemas. Um estético mais exatamente, uma concepção da história literária desse gênero – isto põe evidentemente um monte de problemas teóricos. O primeiro é aquele da biografia, isto é, do tipo de história. Há um vagão que está engatado noutro vagão, mas os trilhos não são os mesmos. É o problema da fronteira russa – se eles pudessem circular com os vagões ocidentais e os vagões russos sobre os mesmos trilhos, ao passo que o espaçamento não é o mesmo. Podemos dizer que a diferença de espaçamento provoca um dilaceramento teórico entre os dois.[45] E é o que se passa, pois o estatuto teórico da biografia, da biografia

45 N.T.: O termo "espaçamento" pode ser versado por "bitola", pois se trata das larguras dos trilhos, suas bitolas, que, diferindo, impedem a circulação entre os trens.

individual e psicológica do autor, não tem absolutamente nada a ver, primeiramente, com uma história possível e, em segundo lugar, com o mundo, o espaço estético, justamente no qual vão se produzir todos esses livres movimentos.

São temas em liberdade, é a liberdade de temas. Finalmente, esse mundo estético é definido pela liberdade de temas, isto é, essencialmente pela liberdade, que é um velho tema. Não no sentido de Richard. É um velho conceito que define essencialmente o mundo estético como sendo o domínio em que se é livre, em que se está em casa, é o tema do [*bei sich*].[46] Em Kant, é isso, mais ou menos, em Hegel também: o estético é a liberdade na imediatidade sensível, é o fato de poder representar uma ideia num corpo, numa história individual, numa face ou numa imagem.

Essa liberdade, finalmente, se nos perguntamos o que a constitui, se fizermos uma análise estrutural da relação, desse mundo estético "em sua casa", constatamos duas coisa, constatamos que a estrutura desse mundo implica duas coisas. Primeiramente, um espaço onde se abrem diferentes circuitos, diferentes temas que têm uma real individualidade. Não são quaisquer temas. São temas que cutucam indivíduos, temas individualizados que se abrem e que se desenvolvem livremente. E essa liberdade de movimento com relação à fixidez desse campo – pois é um campo definido como estético, mas que não tem estrutura do todo –, o que isso quer dizer?

Quer dizer, simplesmente, que tratamos de um espaço de liberdade. É a representação abstrata do ponto de vista de uma análise. Qual é a estrutura teórica que está implicada nas afirmações de Richard? É que há um espaço que é aquele da estética como tal, e que a maneira de habitar esse espaço é a maneira em que os temas nele habitam, isto é, nele circulam livremente. É a liberdade de circulação, de [se] representar fisicamente, em sua relação com esse mundo estético como espaço, pela liberdade de circular. Você

46 Há um lacuna neste lugar na transcrição.

vai aonde você quiser com a condição de ser sempre você mesmo. É isso a liberdade. Torna-te quem tu és: ou seja, vagueie e daí você será sempre você mesmo, e se realizará vagueando. É a liberdade da circulação.

Evidentemente, é uma figuração muito especial que exprime manifestamente a projeção de seus desejos a si, de ser livre em todos os lugares, onde quer que esteja: tanto em Londres quanto em Edimburgo, Madri etc. Mas isso é outra coisa, é o aspecto pessoal da coisa. É a liberdade de circulação do próprio Richard, é seu anseio, ser livre, circular em todos os lugares... Qualquer que seja o país que se habite, seremos também livres, incluindo na universidade alhures. Como é-se livre na universidade, isso prova que se é livre em todos os lugares. A prova de que não poderíamos sê-lo é a demonstração mais convincente. A universidade é pensada necessariamente pelo universitário como uma prisão, então, se o universitário consegue mostrar que a universidade é a liberdade, o que dizer do resto? Você se dá conta? Toda a vida torna-se fácil.

É um gracejo. Mas a estrutura dessa relação é muito particular. Uma análise desse tipo, que se pode fazer sobre o próprio Richard, já é uma introdução ao que pode ser uma história da literatura. Ela implica uma reflexão sobre a obra existente, sobre um fenômeno significante que tem um estatuto determinado socialmente. Dizer que Richard escreveu sua tese porque ele é universitário ou dizer que alguém escreveu sua obra porque é um grande escritor é a mesma coisa: é relacionar a realidade efetiva e estética de uma obra, ou antes, a realidade universitária de uma obra etc., com o estatuto social não de seu autor, mas, se se quiser, de sua produção; ou, mais exatamente, com o estatuto social dessa obra que permite falar dela como tal. Se falamos de Richard é porque ele escreveu um livro do qual todo mundo fala, que todo mundo leu. Ou seja, que ele produziu um objeto cultural. Não está no poder de todo mundo produzir um objeto cultural. Está aí o ponto de partida de toda reflexão possível.

Uma patologia da história literária

Prolegômenos à toda reflexão possível sobre a história literária, é isso. Tentar, primeiramente, dar conta disso que nenhum historiador literário dá conta: do fato de que, se eles têm o direito de tentar a experiência da história literária, é a propósito de obras existentes e que lhes são dadas como seu ponto de partida absoluto. Eles jamais põem em questão isso.

É aí que tudo acontece. Se começamos a pôr isso em questão, joga-se tudo para os ares. Bagunça tudo. Como é que eu, Richard, 1960, poderia escrever um livro sobre Mallarmé? Está tudo aí! Mallarmé é um objeto de cultura, é um objeto cultural. Isso supõe que Richard nem mesmo escolheu seus autores, seu autor: ele escolheu fazer a crítica literária sobre um objeto cultural que lhe é designado pela cultura na qual vive como sendo um objeto cultural. Melhor dizendo, a qualidade de obra literária não é nem mesmo o produto de uma crítica literária. É simplesmente o objeto que ele recebe da herança cultural enquanto tal. Ninguém jamais trabalhou de outra maneira. Ninguém jamais tirou do esquecimento um autor que ninguém conhecia, salvo se se faz a demonstração de que é um grande cara; mas, nesse momento, é ele quem impõe ao seu tempo o reconhecimento cultural da obra. Um cara que tira um desconhecido do esquecimento, ele mesmo não é conhecido, e só tira do esquecimento seu desconhecido com a condição de ser reconhecido ele mesmo como tendo efetivamente tirado do esquecimento um desconhecido que mereceria ser conhecido. Ou seja, que o instrumento do reconhecimento cultural é um cara que era desconhecido.

O engraçado da história é que, quando isso não tem êxito, ninguém apercebe-se disso. Jamais há em história constatação de malogro nesse gênero: todos os abortos literários do mundo inteiro, as milhares e dezenas de milhares de mocinhas que escrevem romances todos os dias agora, ninguém os conhece. Seus namorados as conhecem, elas podem ser úteis aos namorados. Mas enquanto autoras, elas não existem. Não há patologia da história literária. É isso que é legal. Ou, mais exatamente, se nos pusermos o problema de uma patologia possível da história literária, jogamos para o ar toda a estética clássica, todos os pressupostos não refletidos da história literária clássica.

Pois quando se põe a questão: o que faz com que uma obra de arte seja conhecida como tal, [tenha um estatuto histórico][47] como tal, uma vez que é a história que a dá àquele que vai comentá-la? Quando se põe essa questão, põe-se uma questão que se poderia pôr de outra maneira, mas isto retorna ao mesmo: o que faz com que tudo o que foi escrito por caras que pensavam escrever uma obra de arte definitiva tenha restado letra morta? É exatamente a mesma questão. Só que o infortúnio é que, para poder pôr-se a questão a propósito desses caras aí, seria preciso dispor de uma documentação, ou seja, seria preciso que se possa dispor do que foi efetivamente perdido. Em geral, o que está perdido historicamente está perdido sem mais. Já era nos sótãos das vozinhas, depois, um belo dia, jogado na rua, queimou; enquanto o que foi conservado historicamente, temos à disposição, pois recebeu o estatuto de obra estética. Trabalhamos sobre o que existe, sobre o que foi transmitido, não sobre o que foi perdido.

Observe, poderemos tentar trabalhar sobre o que foi perdido, pois existem coisas que foram conservadas nos sótãos. Nem todos os sótãos foram queimados, nem foram vendidos aos leilões.

Isso seria uma contraprova extremamente interessante. Poder-se-ia tentar fazer uma contra-história literária, uma história do aborto literário, a história do não acesso ao estatuto literário de obras que foram, contudo, concebidas como literárias pelos seus autores. Isso seria verdadeiramente interessante, mas ninguém nunca tentou isso. Seria uma contraprova extraordinariamente comprobatória.

---

47 A transcrição traz "ou seja, uma recusa histórica".

Evidentemente, um cara que recolhe pequenos autores, os *minores*, e que os comenta... mas, em todo caso, os menores são menores porque são reconhecidos como tais. Eles têm um estatuto, há uma hierarquia em seu reconhecimento estético, eles [não são nada].[48] Mas um cara que tirasse um total desconhecido do silêncio e o impusesse: primeiramente, seria preciso que ele dispusesse de sua obra e, em segundo lugar, seria preciso que chegasse a impô-lo, ou seja, que ele consiguisse, à sua maneira, uma produção literária que, em seu gênero e ao seu nível, corresponda justamente a esse que o cara, o responsável pela obra literária a ser tirada do esquecimento, terá falhado, enfim, não terá conseguido.

Se ele conseguir, é por razões alheias àquelas do outro: pois o mundo cultural no qual conseguirá essa empresa é totalmente diferente. Tudo começa por aí.

Uma história da não literatura

Paradoxalmente, isso pode se desenvolver: pode-se fazer a história literária. Fazer a história literária implica a possibilidade de fazer uma história da não literatura. Não somente de obras de arte que foram completamente esquecidas pela história ou destruídas, mas também de obras que foram recolhidas pela história como não literárias, toda a subprodução considerada como não literária.

É a mesma coisa. Fazer a história da literatura considerada como tal é a mesma coisa que fazer a história da não literatura, ou fazer a história da patologia, ou fazer, se quisermos, uma história, uma patologia, a história patológica da patologia literária. Ou seja, uma história do que absolutamente abortou como tal. Uma história do que teve sucesso, mas como não literária. E uma história do que teve sucesso, mas como literária.

---

48 A transcrição traz: "eles não publicam nada".

Vemos os três níveis. Se quisermos fazer uma história da literatura, somos obrigados a fazer uma história do que foi visado como literário e do que abortou como literário, por um lado, e somos obrigados a fazer, ao mesmo tempo, uma história do que foi produzido e teve sucesso, mas que não recebeu a benção da literatura e que não foi considerado como literário (que pode ter sido visado como literário ou visado como não literário pelos seus autores).

Por exemplo, um jornalista não tem pretensões literárias em geral, salvo quando escreve em *Le Figaro* ou em alguns jornais assim. Ele tem a pretensão de escrever artigos de jornal. Em geral, não reuniu isso em obras completas, salvo François Mauriac. (Isso é outra coisa, é uma patologia que não é da história literária).

É preciso, pois, poder fazer essas três coisas ao mesmo tempo. Ou seja, que o cara que se engaja na história literária pensando que ele não pode fazer senão a história literária totalmente sozinha, é um cara que se engana, pois ele não pode fazer história literária senão com a condição de fazer essas três histórias, ou com a condição de refletir sobre a possibilidade de fazer essas três histórias, ao mesmo tempo, da mesma maneira que aborda uma obra literária como tal: no fato de que ele reconhece desde o início, absolutamente e radicalmente, e que se dê conta em seguida disto: se ele fala de uma obra literária, é simplesmente porque ela tem um estatuto cultural e porque foi consagrada como tal por toda uma tradição que a transmitiu a ele etc., porque ele se define, na divisão intelectual atual do trabalho e na divisão intelectual produzida pelos juízos de valor existentes no mundo contemporâneo, em função dessa obra, como ocupando o lugar de um crítico em face dessa obra.

Na divisão do trabalho, os críticos nem sempre existiram, é um fenômeno do qual é preciso dar conta. Ou seja, que um cara que começa a fazer a história literária de uma obra deve, ao mesmo tempo, pôr como ponto de partida absoluto a questão de saber o que lhe permite considerar como literária uma obra literária, enquanto ela é, de fato, recebida pela história, que ela é, de fato, um fenômeno cultural, por um lado. E, por outro lado, o que lhe permite exercer sua função de crítico. Ele deve pôr-se a questão de saber o que o faz poder falar disso como crítico representa do ponto de vista da cultura e em sua relação com o objeto estético que vai julgar e elaborar. É um cara que deve se situar, ele mesmo, como crítico, não somente com relação ao seu objeto, mas no contexto histórico no qual é ele mesmo obrigado a situar seu objeto. Ele deve ter uma visão histórica ao mesmo tempo da situação e da modalidade de seu objeto como estético, decerto, e dele mesmo como crítico possível desse objeto estético.

Ou seja, que um historiador que quer fazer a história da literatura não pode ser historiador da literatura se ele não sabe o que é a história e se ele não sabe o que é uma história possível na qual um historiador esteja situado do momento mesmo em que ele começa a fazer a teoria histórica de um objeto que lhe é legado pela história. É preciso, evidentemente, que ele disponha de uma teoria histórica que lhe permita pensar essa situação paradoxal: de estar situado culturalmente com relação a um objeto cultural e, ao mesmo tempo, de poder sustentar sobre esse objeto cultural que se acha historicamente situado, historicamente em face dele – ele quem tem uma posição histórica determinada em face desse objeto – um discurso que não é histórico. Enfim, que será histórico, mas que, na história mesma, não será entregue às vicissitudes da conjuntura histórica: tudo o que chamamos de relativismo etc. ou historicismo.

Como podemos dizer alguma coisa de certo, de absoluto, teoricamente absoluto, numa situação histórica? Ou seja, na situação de um indivíduo que reflete sobre um resultado histórico, que tenta fazer sua teoria, enquanto ele próprio é pego na história que lhe permitiu começar essa reflexão e persegui-la, decerto?

É esse pressuposto que está implicado em toda tentativa de história literária.

Um certo tipo de história

Se refletirmos sistematicamente, nós [podemos] definir as condições de possibilidade de uma história literária. Evidentemente, isso supõe que sejamos obrigados a definir antes as condições de possibilidade de uma história em geral. Então voltamos, aqui, ao início. Quais são as teorias que permitem pensar uma história em geral? Primeira questão. Segunda questão: quais são as teorias que permitem pensar um objeto cultural determinado, isto é, transmitido, dado, numa situação histórica determinada como sendo literário, portanto, como sendo estético? Melhor dizendo, é preciso pensar uma história que permita não dissolver a especificidade estética do objeto literário cultural, poético etc. – tudo o que se queira (grosso modo, é válido para todos os objetos estéticos) – na situação histórica determinada através da qual ele é dado e pela qual ele é dado e transmitido.

É verdade que Mallarmé não existe para nós senão porque ele nos foi transmitido como tal, porque ele foi o objeto de um juízo histórico que nos foi transmitido como tal. Mas é verdade também que a relação com Mallarmé não é uma relação histórica. É uma relação que é vivida na história, mas que é vivida como não histórica, uma vez que a relação de um leitor de Mallarmé com Mallarmé é uma relação imediata, direta, que está em relação com a significação estética de Mallarmé, mas jamais em relação com a história. Isso não é de maneira nenhuma vivido como tal. É vivido diretamente.

É preciso, então, uma história que dê conta... enfim, é preciso uma teoria da história que permita, ao mesmo tempo, assumir toda a realidade histórica, toda a realidade das condições históricas nas quais um objeto cultural é dado como objeto de reflexão a um homem que ocupa uma função social na divisão social ou técnica do trabalho intelectual, e que, por isso, é um crítico. É preciso uma teoria que permita dar conta disso e que permita, ao mesmo tempo, dar conta através dessa situação histórica, completamente histórica, de um contato imediato de consumo entre o leitor de Mallarmé e Mallarmé.

O cara que consome Mallarmé não consome a teoria da história. E, contudo, é preciso uma teoria da história que permita, ao mesmo tempo, dar conta do caráter histórico da situação e que permita dar conta também do fato de que o crítico, como todo consumidor de Mallarmé, com um contato direto com Mallarmé, que esse contato não é um contato histórico. Isso supõe outro requisito, uma teoria da história que torne possível esse contato imediato, que torne possível a existência de certo nível na história através da história: um nível em que esse contato se exerce imediatamente através das próprias situações históricas.

Isso supõe a existência de certo nível de alguma maneira invariante, estável, uma certa estabilidade de sentidos, representando certo tipo de contato relativamente constante através das próprias variações históricas. Isso representa a necessidade de pensar certo tipo de história, certa teoria histórica que permita pensar a possibilidade de certo nível de relação direta entre um leitor de Mallarmé e Mallarmé, quer essa relação direta se exerça em 1910 ou em 1963, tal como a relação do leitor com Mallarmé em 1910 e a relação do leitor com Mallarmé em 1963, a despeito de todas as diferenças impostas pela situação histórica ao próprio gosto do leitor etc. – tal que haja alguma coisa de comum entre ambas, tal que haja alguma coisa que subsista.

De outra maneira, não se poderia falar de Mallarmé. Não é somente porque ele nos é transmitido pela tradição histórica que se pode falar dele. É porque o tipo de contato que os contemporâneos de Mallarmé tiveram com ele restou – fundamentalmente, com variações de detalhe – o mesmo que aquele que nós temos com ele agora. Não resta dúvida. O leitor que lê Mallarmé agora e lê o que um leitor de Mallarmé lia reconhece nele um contemporâneo, enquanto, historicamente, eles não são contemporâneos.

Não há outras possibilidades. Pode ter aí variações, pode ter aí mal-entendidos históricos absolutos no que concerne a um escritor. Béranger: todo mundo sabia que Béranger era apreciado por todo mundo, por Goethe[49] em particular, ou por Flaubert.[50] Mas se pode dizer que a história impõe um teste real e que, finalmente, ela elimina variações contingentes, nesse sentido. Elas não são de maneira nenhuma contingentes na realidade, mas elas são contingentes com relação ao juízo estético. Se Béranger era tão apreciado, é por causa do chauvinismo da esquerda napoleônica francesa: por aí ele passou, deitou-se nessa cama, "num sótão onde estamos há vinte anos!"[51] etc. Ou seja, uma ideologia política que pensava suas nostalgias através da mitologia de Napoleão. É por isso que Goethe considerava que era um cara muito bom, porque Goethe, finalmente, tinha conservado certa nostalgia de Napoleão na reação de Metternich: ainda era o Código Civil e todo o escambau. Béranger era a mesma coisa, finalmente, as três cores e tudo mais – uma espécie de *páthos*, o elemento entendido histórico a

49 GOETHE, Johann Wolfgang. *Entretiens de Goethe avec Eckermann.* Trad. J.-N. Charles. Paris: Claye, [s.d.], pp. 111-113. "Les chansons de Béranger sont parfaites; c'est ce qu'il y a de mieux en ce genre [...]. Béranger me rappelle constamment Horace et Hafiz". ["As canções de Béranger são perfeitas; é o que há de melhor nesse gênero [...]. Béranger lembra-se constantemente Horácio e Hafiz"].

50 FERRÈRE, L. *L'Esthétique de Gustave Flaubert.* Paris: Conard, 1913, p. 113. "Après l'avoir jugé d'abord sous une forme assez modérée, Flaubert fini par l'exécrer véritablement" ["Depois de tê-lo julgado primeiramente sob uma forma bastante moderada, Flaubert terminou por execrá-lo verdadeiramente"]. FLAUBERT, G. "Lettre à Amélie Bosquet du 9 août 1864". *In*: ______. *Oeuvres complètes.* tome XIV. Paris: Club de l'Honnête homme, 1975, p. 211. "[...] je regarde ledit Béranger comme funeste [...]. Mais la France, peut-être, n'est pas capable de boire un vin plus fort! Béranger [sera] pour longtemps son poète" ["[...] eu vejo o dito Béranger como funesto [...]. Mas a França, talvez, não seja capaz de beber um vinho mais forte!"].

51 BERANGER, Pierre-Jean. de. "Le Grenier". *In*: ______. *Oeuvres complètes.* tome II. Paris: L'Harmattan, 1984, pp. 130/131.

partir desse gênero aí, isto é, que corresponde a situações culturais determinadas. A história, ela mesma faz a triagem.[52]

De fato, o próprio Goethe sobreviveu a isso que se poderia chamar de risco do mal-entendido histórico, o que ameaça a todo escritor. Mas Béranger não sobreviveu. Ao fim de certo tempo, pode-se fazer a triagem de situações históricas patológicas que desaparecem com as condições que criaram essas condições patológicas, e assim os juízos históricos, mesmo em matéria aparentemente literária, desaparecem também. Béranger tinha pouco a ver com a literatura. Mas, então, o mal-entendido tomava a forma seguinte: considerava-se que Béranger, isso era literatura. Havia simplesmente um erro de endereço, essa transposição, essa mudança cultural de Béranger. Todo mundo cria que ele habitava no primeiro andar, enquanto habitava num porão. De fato, isso era simplesmente um erro de zoneamento, um erro de endereço: o carteiro engana-se.

É preciso, pois, uma teoria da história que permita dar conta de certa constância e de certa estabilidade entre o contato estético de um leitor que seja contemporâneo do autor, por um lado, e o contato estético de um leitor com as obras desse autor num período muito distante em relação ao primeiro contato. O contato de um contemporâneo de Racine é uma coisa, o contato de um leitor de hoje com Racine é outra coisa; contudo, há alguma coisa de comum. De maneira alguma no sentido de uma antropologia, não é isso, mas, em todo caso, é preciso dar conta disso. O fato de que haja alguma coisa de comum é um fenômeno histórico possível, e é preciso dar conta disso.

Portanto, é preciso uma história que dê conta da possibilidade dessa relativa permanência. Eis as condições formais.

O problema, é preciso resolvê-lo. Eu poderia dar algumas sugestões sobre isso, mas talvez seja um pouco pessoal demais.

---

52 Cf.: ALTHUSSER, Louis. *Pour Marx*. Paris: Maspero, 1965, p. 126.

Evidentemente, eu teria a tendência a resolver isso no contexto seguinte. Penso que é somente a partir da teoria marxista que se pode dar conta daquilo, pois é a única que seria capaz de dar conta de tudo aquilo ao mesmo tempo – ao mesmo tempo da realidade histórica de um objeto cultural dado, de um lado, e da situação histórica do crítico literário que se propõe fazer uma história literária, isto é, fazer a história desse objeto cultural, querendo salvaguardar a possibilidade de um contato estético direto com ele.

Caso se queira: quando na história literária clássica lidávamos, como o vimos há pouco, com a dissociação entre a história como crônica, por um lado, e, por outro, com a estética enquanto tal, que dela se destacava, era uma extensão necessária, pois era destinado a compensar uma falta, pois a história como tal é a redução de todo o específico estético. Então, seria preciso acrescentar o que faltava. Seria preciso um suplemento de estética, pois não havia nenhuma estética! Vimos isso, isto é: a impossibilidade de todos os temas pensarem sua própria coabitação e, ao mesmo tempo, a necessidade na qual cada um dos temas ou cada um dos conceitos fundamentais acha-se em completar-se a si mesmo pelo conceito que lhe falta, a partir de sua própria posição. É um pouco como a história: "É uma pena que as cidades não tenham sido construídas no campo, o ar ali é tão puro".[53] Falta ao cara que está no campo tudo o que a cidade lhe traz, e, na cidade, falta-lhe tudo o que o campo lhe traria.

Tentar ter a cidade no campo é um pouco como o programa da história literária clássica, a qual quer, ao mesmo tempo, fazer a história e fazer estética. O território é sobreposto, pois é propriamente impossível para ela.

---

53 COMMERSON, [J.-L. Auguste]. *Pensées d'un emballeur pour faire suite aux Maximes de François de La Rochefoucauld.* Paris: Martinon, 1851, p. 124. "Si on construisait actuellement les villes, on les bâtirait à la campagne, l'air y serait plus sain". ["Se construíssemos as cidades, as elevaríamos no campo, o ar lá seria mais são"]. Essa *boutade* é frequentemente atribuída a Alphonse Allais.

Numa hipótese como aquela que eu gostaria de fazer – creio que é a única hipótese que dá conta de todos os requisitos fundamentais dos quais falamos, a saber: dá conta da qualidade cultural, do estatuto cultural, portanto, histórico, de um objeto de reflexão estético – ou seja, se você fala hoje de Mallarmé, bem, é porque a história o dá a você como objeto estético consagrado, em primeiro lugar.[54]

Em segundo lugar: dar conta do estatuto histórico daquele que fala disso. Se hoje Richard fala de Mallarmé, se ele tem o direito de falar dele como crítico literário, é que existe na sociedade contemporânea, e não faz pouco tempo, uma função social na divisão intelectual do trabalho que se chama de "A Crítica Literária", que se chama de os universitários e não universitários, que têm por função, ou se dão por função, fazer a história literária em geral, pois sentem a necessidade disso. Aí poderíamos nos perguntar por que eles sentem a necessidade disso. (É outra coisa. Pois há civilizações inteiras que vivem sem críticos e sem historiadores da literatura, ou mesmo sem história nenhuma, que vivem sua história sem refleti-la). É preciso, pois, uma teoria histórica que dê conta, ao mesmo tempo, desse último fenômeno, a saber, a possibilidade de um contato direto entre o leitor de hoje e Mallarmé – entre Richard e Mallarmé – que tenha alguma coisa de comum com o contato que um contemporâneo de Mallarmé tinha com as obras deste.

É preciso, pois, uma teoria da história que implica nela mesma, ao mesmo tempo, o estatuto cultural do objeto estético, por um lado, e o estatuto histórico do crítico e da profissão de crítico, ou seja, a relação da história com o historiador, o que é fundamental. E, por outro lado, a possibilidade de uma relação imediata – digamos, de juízo estético, grosso modo, de consumo estético – entre o objeto estético em questão e todo leitor possível, entre Mallarmé e todos seus leitores possíveis. Se quisermos chamar

54 N.T.: No francês *et d'une*, abreviação da locução adverbial *d'abord et d'une*, "primeiramente", "em primeiro lugar", "para começar" etc.

as coisas por seu nome, certa permanência, certa constância do que Hegel chamaria de esfera da estética, mas que justamente não é uma esfera, pois ela não é de maneira nenhuma redonda: *camada* estética, *nível* estético.

Uma relação não histórica com os objetos históricos

Esse nível concerne ao que se chama, em teoria marxista, de nível da ideologia estética – da arte como ideologia. Evidentemente, é uma expressão muito geral e muito abstrata, mas há em Marx todas as premissas necessárias para fazer um teoria da arte como ideologia nesse sentido aí, ou seja, como camada de atividade ao mesmo tempo produtora e consumidora de objetos estéticos, [do] que é refletido sob a forma de criação estética, de juízo estético, de gosto etc. de tudo o que pertence a uma camada relativamente estável tendo uma história, da qual se pode fazer uma história.

Está aí o paradoxo, pois se efetivamente se pode fazer uma história de objetos estéticos como tais, uma história da camada estética como tal – finalmente, é a isto que se retorna –, a hipótese de uma história marxista implica a hipótese da possibilidade de uma história de camadas constituídas pelas camadas ideológicas, ou pelos diferentes níveis ideológicos, ou pelos diferentes objetos ideológicos, os quais supõem cada qual por sua conta uma possibilidade de história que repousa fundamentalmente sobre a história geral, mas que é uma história específica.

Praticamente, o que isso quer dizer? Isso quer dizer que na teoria marxista, lidamos com uma teoria que implica a possibilidade de todas as formas ideológicas existentes. Podemos fazer uma história da filosofia, podemos fazer uma história da moral, podemos fazer uma história da religião, podemos fazer uma história da arte, podemos fazer uma história do juízo estético, podemos fazer uma história do belo etc. Podemos, pois, fazer uma história da literatura como objeto estético, porque a possibilidade está fundada aí, teoricamente fundada na concepção mesma da história.

É por isso que lhe digo que isso me parece a única hipótese possível. Isso supõe todos os tipos de explicações e desenvolvimentos a fim de justificá-la. É aí que, para mim, enfim, entrevejo a possibilidade de pôr, numa teoria existente, todos os problemas que encontramos a respeito disso, desde que nos questionemos sobre saber com o que lidamos quando um cara se põe a escrever sobre um autor que produziu uma obra dita literária. Finalmente, trata-se simplesmente de dar conta teoricamente do que o cara faz, não outra coisa!

O cara que se põe a escrever sobre Rousseau, ele faz alguma coisa. O que se passa? Ele lida com um objeto. Qual é esse objeto? Ele, ele é um cara que escreve sobre Rousseau em 1963. O que é essa função de escrever sobre Rousseau? E ele escreve sobre Rousseau considerando que Rousseau seja um objeto literário, um objeto estético. Enfim, ele pode tomá-lo por outro objeto, ele pode considerar que Rousseau seja um político, o que quer que se queira. Mas o historiador da literatura que fala sobre Rousseau como criador literário toma-o por um objeto estético, por um objeto literário. Assim, é preciso dar conta disso, pois isso é verdadeiro: ninguém pode negá-lo. Mas é preciso dar conta numa teoria que permita, ao mesmo tempo, pensar as condições de possibilidade históricas dessa relação típica, dessa relação historicamente determinada que é a relação de um crítico literário com uma obra registrada e consagrada historicamente como estética, sem pensar que o cara que vai fazer a história da literatura vai confundir-se com o cara que vai fazer a história do desenvolvimento das sociedades. Isso não tem relação, enfim, não tem relação imediata.

Evidentemente, tudo isso repousa sobre a história das sociedades, decerto. Mas através dessa história das sociedades é visado um certo tipo de relação não histórica: é esse o paradoxo. É preciso fazer uma teoria da história que dê conta da possibilidade de uma relação não histórica com os próprios objetos históricos. Finalmente é isso, eu diria isso.

É por isso que dou essa resposta: a única teoria, em meu conhecimento, que permite fazer uma teoria da relação não histórica com um objeto estético, enfim, ideológico em geral, e que seja, ao mesmo tempo, uma teoria histórica, isto é, uma teoria histórica que permite a possibilidade de uma relação não histórica com objetos históricos, é o marxismo. É a teoria de Marx. Marx não explicou tudo isso, mas ele tem tudo o que é preciso para explicá-lo.

O que você pensa disso?

INTERVENÇÃO:

"Então aí, é um conselho pessoal [que eu lhe peço] – eu gostaria que você me dissesse onde em Marx e como isso?"

Não posso lhe dizer onde e como. Como, sim, mas então "onde?" Não há "onde". O que encontramos quando vemos edições de textos de Marx ou de marxistas sobre a estética não tem muito a ver com esses problemas aí. São geralmente textos em que se exprimem juízos estéticos pronunciados por Marx sobre tal ou tal autor. É outra coisa isso, julgar que um cara é um cara forte ou um cara fraco. Não é o começo do começo da literatura. Isso é competência da gastronomia. Um cara está comendo frugalmente e diz: "É muito boa essa vaca atolada!" É tudo, é um juízo de gosto. O gosto está para a bioquímica assim como o juízo de um consumidor na Pauline está para a história literária, e aí. É da mesma ordem. Não é aí dentro que podemos encontrar as coisas. Nós as encontramos alhures. Todavia, não as encontramos absolutamente localizadas. Não há em lugar algum uma teoria da possibilidade da estética.

Mas temos uma teoria. Podemos encontrar na teoria da história de Marx, justamente, os conceitos e a problemática que permitem responder às questões reais que, não importa quem esteja fazendo história literária ou tentando fazê-la, ele é obrigado a pôr-se a partir do momento em que se pergunta: o que eu estou fazendo? E o que me dá, sob não importa qual autoridade – historicamente, teoricamente etc. –, o direito de fazer o que eu faço? Pois eu estou em meu bom direito, não há problema. Se fizermos história literária, não duvidamos nem sequer um instante que temos o direito de fazê-la. Mas esse direito que não é posto em dúvida, como todo direito, para um cara que o contestaria, por exemplo, ou para uma civilização na qual isso não seria natural (ou seja, para outras formas de existência histórica), não é de maneira alguma natural.

Ele é, pois, posto em questão, esse direito que parece tão natural. Ele é, pois, [revogado][55] como natural pela consciência histórica, mesmo a consciência histórica a mais elementar. Encontramos essa consciência histórica elementar no próprio Montaigne.[56] Os selvagens e tudo aquilo, os Pirineus dos quais o outro teria feito uma das provas da existência de Deus. Uma montanha como prova da existência de Deus não é ruim. A geografia, ela serve para tudo, mas é absolutamente elementar que não seja aí que isso se coloca. Mas, em todo caso, isso põe uma questão.

Isso põe uma questão: com que direito você considera como natural fazer o que você faz? Isso põe novamente em questão o caráter natural do ato pelo qual um cara se relaciona com uma obra estética para fazer sua história literária. Isso põe novamente em questão seu caráter natural, ou seja, isso novamente põe em questão e em evidência seu caráter histórico. [Mas] de maneira nenhuma resolvemos o problema se o deixarmos aí: caímos no relativismo histórico. Nesse momento, dizemos: é assim porque é assim agora e, no fim das contas, é tudo. No fim das contas, seria novamente de outra maneira. Isso maravilha todos os apologistas, ou antes, todos os viajantes.

Temos, assim, uma espécie de turismo teórico que faz com que as pessoas adorem encontrar em si o que elas não encontram

---

55 A transcrição, corrigida aqui à mão, traz "evocado".

56 MONTAIGNE, Michel de. *Les Essais*. Ed. Pierre Villey e Verdun Louis Saulnier. 2ª ed. Paris: PUF, 1992, tome I, pp. 205 e 212; tome II, p. 467; tome III, p. 574.

alhures, e vice-versa. A palavra de ordem de todos esses aí é: "a gente nunca vai buscar muito longe o prazer de voltar para casa",[57] pois o turismo é uma maneira de ir passear para se dar conta de que, finalmente, bem temos razão de não termos partido. Portanto, há pessoas que se dispensam de viajar porque sabem antes de ir que estarão melhores ao voltarem para suas casas, então nem saem. O fato de não sair, isso dá em todos os historiadores da literatura. Antes de ir ver nos países onde não há história literária, eles ficam em casa, pois, de todas as maneiras, sabem que voltarão para casa! Para você voltar para sua casa, basta um bom endereço – o seu! Como eles voltarão para casa, preferem nem partir, então, fazem turismo aí mesmo, por procuração ou por liminar. Eles põem o turismo possível entre parênteses e depois se dizem: "bem, não tem problema, pois efetivamente, se eu for ver ali ao lado, em todo caso, voltarei para minha casa. Então, façamos nosso ofício, cultivemos nosso jardim!"

Além de Foucault

INTERVENÇÃO:

"Imitar a abordagem de Foucault, de alguma maneira. Ele faz uma história da razão e não da loucura.[58] Fazer uma história da literatura fazendo uma história da não literatura. Isso retoma o que você propunha agora há pouco".

---

57 MICHEL, Alain. "La poétique du voyage: d'Homère à la modernité". *In*: ______. *Les voyages*: rêves et réalités. VIIes Entretiens de la Garenne Lemot (2008). Sob a direção de J. Pigeaud. Rennes: Presses Universitaires de Rennes, 2016, p. 17. "[Cette] maxime circulait dans l'hypokhâgne phocéenne lorsque j'y fis mon entrée [peu après la Libération]". ["[Essa] máxima circulava no hypokhâgne de Marselha quando entrei lá [pouco depois da Liberação"]. Cf.: ALTHUSSER, Louis. *Initiation à la philosophie pour les non-philosophes* (1977). Paris: PUF, 2014, p. 99.

58 FOUCAULT, Michel. *Histoire de la folie à l'âge classique*. Paris: Plon, 1961.

Ah, sim, isso sim. Exatamente. Na abordagem de Foucault, há alguma coisa que, do ponto de vista metodológico, ultrapassa extraordinariamente seu livro, que já é extraordinário. Há uma lição de metodologia prodigiosa. Só que a questão toda é a seguinte. No exemplo de Foucault, passa-se à seguinte coisa: Foucault fez a história da razão através da história do par razão-loucura. Ele mostrou que esse par era um par real, no período que ele estuda. Mas podemos nos questionar se esse par não seria um par historicamente condicionado, melhor dizendo, se ele não escolheu precisamente um período histórico em que esse par existia. Pois pode ter aí outros pares: a razão não se situa necessariamente pela relação com a loucura, a não razão não é necessariamente a loucura. Mesmo no século XVII, podemos nos questionar se, em todos os períodos históricos que estuda Foucault, é a loucura que é, efetivamente e de maneira significativa, discriminante, como diria Chapouthier, que dava sempre versões discriminantes.

A questão é saber se é a loucura que é discriminante: se, na não razão, é a loucura que ocupa o lugar dominante. Foucault não diz que é a única, decerto, ele sabia muito bem que há outras formas de não razão que a loucura. Aliás, ele o diz. Mas diz que, no século XVII, é efetivamente a loucura que preenche a não razão, que é, em todo caso, o conceito guia na não razão. Se quisermos penetrar na não razão no século XVII, é preciso que nos façamos acompanhar pela loucura.

Eis o que ele diz. É isso. Ele não diz que há só isso. Isso é uma questão de fato. Não somente de fato, decerto, não há fato absoluto. Mas é preciso saber se isso cola com tudo, para saber efetivamente se é de fato pela loucura que é preciso entrar na não razão. Isso é uma questão muitíssimo vasta. Podemos discuti-la.

Eu estou metodologicamente extremamente convencido pelo extraordinário livro do Fouks, mas me ponho questões que são questões históricas sobre certos pontos de seu livro, pois não estou certo de que só haveria loucura – enfim, que a loucura seja sempre o acesso privilegiado, o ocupante por excelência da não razão. Penso que há outras vias de acessos à não razão. Pergunto-me se seria preciso tentar outras maneiras de penetrar na não razão, ou melhor, de se fazer acompanhar por outros conceitos. Mais exatamente, pois não se trata de conceitos, uma vez que são realidades em busca do conceito delas, [que] não chegam aí: fazer-se acompanhar por outra coisa que pela loucura, para ver no que isso vai dar. Para ver se acaso não descobriríamos outras coisas, o que permitiria, talvez, verificar a hipótese do Fouks, a saber, que é de fato pela loucura que é preciso penetrar aí, pois é somente ela que detém as chaves desse mundo.

NOTA SUPLEMENTAR SOBRE A HISTÓRIA (SEM DATA: 1965-1966?)

1. De tudo o que foi dito sobre a história,[59] deve estar perfeitamente claro que se trata de uma pesquisa de definição do conceito de o *histórico*, isto é, do objeto específico de uma teoria da história. Quando foi dito que o tempo da história não era aquele tempo ideológico vazio *no qual* se passavam eventos históricos, mas o tempo específico do modo de produção considerado, do modo de produção determinado que está em questão, é claro que o que se tem em vista é unicamente esse tempo que pode ser qualificado de *histórico*.

Isso, decerto, implica uma distinção que está unida, como o veremos, com a definição que foi proposta de história e de tempo histórico, uma distinção discriminante que, entre todos os eventos e fatos, entre todos os fenômenos a afetar a existência dos homens vivendo num modo de produção dado, distingue aqueles que merecem ser retidos como históricos, à exclusão de outros. Melhor dizendo,

---

59 ALTHUSSER, Louis. *Pour Marx*. Paris: Maspero, 1965, pp. 117/118 e 136/137; ALTHUSSER, Louis. "L'objet du *Capital* (1965)". *In*: ALTHUSSER, Louis; BALIBAR, Étienne; ESTABLET, Roger; MACHEREY, Pierre; RANCIÈRE, Jacques. *Lire Le Capital*. Paris: PUF, 1996, pp. 272/273 e 295.

nós não consideramos mais como históricos todos os eventos ou todos os fenômenos da existência humana de uma sociedade dada nem consideramos como histórico o primeiro tempo que acontece, quer ele seja biológico, físico, psicológico etc. Em contrapartida, e em função dessa distinção pertinente, não poderíamos pretender que tudo o que advém à existência dos homens, os quais vivem sempre numa formação social dependente de um modo de produção determinado, pertença à história, portanto, que a teoria da história possa pretender dar o conhecimento teórico de tudo o que pertence a essa existência humana.

A história, se ela quiser respeitar o conceito de seu objeto, não pode pretender dar a inteligibilidade senão de seu objeto, à exclusão de todos os fenômenos que não dependem de seu conceito. Isso não quer dizer que tal ou tal disciplina, que fizesse desses fenômenos não históricos seu objeto, não tenha de considerar a realidade histórica como pura e simplesmente sem efeito sobre seu objeto: mas, então, a história não pertence a esse novo objeto, se esse é o caso, senão como uma de suas condições, e não como sua essência ou mesmo como sua condição dominante. A mesma exigência que constringe a dar uma definição discriminante do histórico como tal, constringe a teoria da história a limitar seu reino nos limites de seu objeto assim definido e a deixar às outras disciplinas o conhecimento do não histórico, separado do histórico pela definição da especificidade do próprio histórico.

2. Isso que foi dito precedentemente sobre a história implica, evidentemente, a exigência dessa definição do histórico. Até aqui não se faceou a história senão sob a forma da *temporalidade histórica*, e mostrou-se que essa temporalidade histórica não seria concebível senão como o processo de existência próprio a cada modo de produção. O objeto da teoria da história é, pois, a história ou o processo de existência (e de desenvolvimento ou de não desenvolvimento) dos diferentes modos de produção. É referindo todos os problemas teóricos ao seu objeto que a história pode definir a especificidade de seu objeto, sob suas diferentes formas de existência e de apreensão.

SOBRE A GÊNESE (1966)

Eu gostaria de precisar um ponto que, sem dúvida, não é ressaltado claramente em minha carta.[60]

No esquema da "teoria do encontro" ou teoria da "conjunção", que é destinado a substituir a categoria ideológica (religiosa) da gênese, há lugar para o que se pode chamar de *genealogias lineares*.

Assim, retomando o exemplo da lógica da constituição do modo de produção capitalista em *O Capital*:

1. Os elementos definidos por Marx se "combinam". Prefiro dizer (para traduzir o termo *Verbindung*) se "conjuntam" "pegando" numa estrutura nova. Essa estrutura não pode ser pensada, em seu surgimento, como o efeito de uma filiação, mas como o efeito de uma *conjunção*. Essa Lógica nova não tem nada a ver com a causalidade linear da filiação nem com a causalidade "dialética" hegeliana, a qual não faz senão enunciar em voz alta o que contém implicitamente a lógica da causalidade linear.

2. No entanto, *cada qual* dos elementos que vêm a se combinar na conjunção da nova estrutura (no caso, o capital-dinheiro acumulado, as forças de trabalho "livres", isto é, desprovidas de

60 Essa carta não foi encontrada.

seus instrumentos de trabalho, as invenções técnicas) é ele mesmo, enquanto tal, um *produto*, um *efeito*.

O que é importante na demonstração de Marx é que esses três elementos não são os produtos *contemporâneos* de uma única e mesma situação: não é, melhor dizendo, o modo de produção feudal que, por si só e por uma finalidade providencial, engendra *ao mesmo tempo os três elementos* necessários[61] para que "pegue" a nova estrutura. Cada qual dos elementos com sua própria "história", ou sua própria *genealogia* (retomando um conceito de Nietzsche que Balibar[62] utilizou afortunadamente para esse propósito): as três genealogias são relativamente *independentes*. Vê-se mesmo Marx[63] mostrar que um mesmo elemento (as forças de trabalho "livres") pode ser produzido como resultado por genealogias *totalmente diferentes*.

Portanto, as genealogias dos três elementos são independentes umas das outras e independentes (em sua coexistência, na coexistência de seus resultados respectivos) da estrutura existente (o modo de produção feudal). O que exclui toda possibilidade de ressurgência do mito da gênese: o modo de produção feudal não é o "pai" do modo de produção capitalista no sentido de que o segundo seria, estaria contido *em germe* no primeiro.

---

61 O capital-dinheiro ou o "possuidor de dinheiro"; o trabalhador "livre"; os meios de produção.

62 BALIBAR, Étienne. "Sur les concepts fondamentaux du matérialisme historique". *In*: ALTHUSSER, Louis; BALIBAR, Étienne; ESTABLET, Roger; MACHEREY, Pierre; RANCIÈRE, Jacques. *Lire Le Capital*. Paris: PUF, 1996, pp. 529-532.

63 MARX, Karl. "Principes d'une critique de l'économie politique [extraits des Grundrisse]". *In*: ______. *Oeuvres*: économie, 2. tome I. Trad. M. Rubel e J. Malaquais. Paris: Gallimard, 1968, pp. 338-340. Cf.: MARX, Karl. "Le Capital", Livre II. *In*: ______. *Oeuvres*: économie, 2. tome I. Trad. M. Rubel e J. Malaquais. Paris: Gallimard, 1968, p. 517; BALIBAR, Étienne. "Sur les concepts fondamentaux du matérialisme historique". *In*: ALTHUSSER, Louis; BALIBAR, Étienne; ESTABLET, Roger; MACHEREY, Pierre; RANCIÈRE, Jacques. *Lire Le Capital*. Paris: PUF, 1996, p. 533.

3. Dito isso, resta conceber os tipos de causalidade que podem, a propósito desses elementos (e, de uma maneira geral, a propósito da *genealogia de todo elemento*), intervir a fim de dar conta da *produção desses elementos* como elementos entrando na conjunção que vai "pegar" numa estrutura nova.

É preciso aqui, parece-me, distinguir *dois tipos* distintos de causalidade.

a. A *causalidade estrutural*: um elemento pode ser produzido como *efeito estrutural*. A causalidade estrutural é a *causalidade última* de todo efeito.

O que quer dizer o conceito de causalidade estrutural? Ele significa (em termos muito grosseiros) que um *efeito B* (considerado como elemento) não é o efeito de uma *causa A* (de um outro elemento), mas o efeito do elemento A enquanto *esse elemento A está inserido nas relações* que constituem *a estrutura* na qual está "pego" e situado A. Isso quer dizer, em termos simples, que, para compreender a produção do efeito B, não basta considerar a causa A (imediatamente precedente ou visivelmente em relação com o efeito B) isoladamente, mas a causa A enquanto elemento de uma estrutura em que ela se instala, enquanto, pois, submetida às relações, às relações estruturais específicas que definem a estrutura em questão.

Uma forma muito sumária da causalidade estrutural aparece, por exemplo, na física moderna quando ela faz intervir o conceito de *campo* e faz operar o que se pode chamar de *causalidade de um campo*. No caso da ciência das sociedades, se se seguir o pensamento de Marx, não podemos compreender tal efeito econômico pelo seu relacionar-se com uma causa isolada, mas pelo seu relacionar-se com a *estrutura* do econômico (definida pela articulação das forças produtivas e das relações de produção). Pode-se presumir que, em psicanálise,[64] tal efeito (tal sintoma) não é, da mesma maneira,

64 N.T.: O termo francês *analyse* abrevia "psicanálise".

inteligível senão como o efeito da *estrutura do inconsciente*. Não é tal evento ou tal elemento A que produz tal efeito B, mas a *estrutura* definida do inconsciente do sujeito que produz o efeito B.

b. Essa lei parece ser geral. Todavia, a causalidade estrutural define enquanto estrutural, então, como efeito estrutural, *zonas* ou *sequências rigorosamente definidas e limitadas*, nas quais a causalidade estrutural faz-se *sob a forma da causalidade linear*. É o que se passa, por exemplo, no *processo de trabalho*. A causalidade mecânica linear (mesmo se ela reveste formas complexas como nas máquinas, essas formas permanecem mecânicas, isto é, lineares, *mesmo nos efeitos de feedback* e outros efeitos cibernéticos) opera-se assim, de maneira autônoma e exclusiva num *campo definido*, o qual é aquele da *produção de produtos* no processo de trabalho. Para martelar o prego, bate-se com um martelo sobre um prego; para laborar um campo, faz-se agir forças sobre uma relha,[65] a qual age sobre a terra etc. Essa causalidade linear-mecânica (o que Sartre chama de "razão analítica"... mas atenção, o que Sartre chama de razão dialética não é, a despeito do que ele diz, senão uma forma complexa da razão analítica, não é senão razão analítica) age assim, produzindo os mesmos efeitos, por *repetição* e *acumulação*.

É o que se encontra em Hegel quando ele fala da acumulação quantitativa, ou da lógica do entendimento. Hegel tentou pensar os efeitos propriamente estruturais sob a forma do "salto qualitativo", isto é, tentou passar da causalidade linear à causalidade estrutural engendrando a segunda a partir da primeira (e é por isso que sua "dialética" resta presa nas categorias empíricas do entendimento mecânico e linear, malgrado sua *declaração* de ultrapassamento,[66]

---

65 N.T.: "Relha" do arado.

66 N.T.: Manteve-se a versão comum, datada em língua portuguesa, "ultrapassamento" para *dépassement*, que versava comumente, à época de Althusser, o termo técnico hegeliano *Aufhebung*. Hoje, contudo, é preferível versá-lo em português, seguindo o Prof. Marcos Lutz Müller, por "suspensão", do

sendo o conceito de "ultrapassamento" – *Aufhebung* – o conceito que admite e reconhece, a despeito de si, esse cativeiro).

Há, assim, sequências inteiras, mas sempre definidas nos *limites rigorosos*, fixadas pela causalidade estrutural e submetidas à operação autônoma da *causalidade linear* ou analítica (ou causalidade transitiva). Isso se vê de maneira muito clara em certas sequências de fenômenos econômicos, políticos e ideológicos. Isso deve também ver-se em psicanálise (por exemplo, em certas sequências pertencentes aos processos secundários. Parece-me que o que se chama de "formações secundárias", como as formações defensivas, destacam isso).

No exemplo de nossos três elementos, a acumulação do capital-dinheiro depende em grande parte desse mecanismo, e certas sequências produtoras de outros elementos igualmente.

Mas, em todos esses casos, os limites e a "operação" da causalidade mecânica, assim como o *tipo de objeto* que ela produz, são determinados em última instância pela causalidade estrutural. Pode-se mesmo ir mais longe e dizer que podemos observar os efeitos de acumulação (mecânica) entre os efeitos estruturais (assim o que diz Marx: a existência das "forças de trabalho livres" é o resultado de *plurais* processos diferentes e independentes, em que os efeitos *se ajuntam* e se reforçam por juntar-se), mas esses efeitos, entre os quais se instaura assim a operação de uma causalidade mecânica, são, tomados isoladamente, efeitos estruturais.

Não desenvolvo mais. Eu gostaria de somente indicar o princípio dessa dupla causalidade e de sua articulação, em que a causalidade estrutural é determinante da causalidade linear.

22 de setembro de 1966

---

verbo "suspender", assim como também analogamente, em francês, Derrida versou por "relever".

[COMO ALGUMA COISA DE SUBSTANCIAL PODE MUDAR?] (1970)

A questão: como alguma coisa de substancial pode mudar no Partido?

A resposta de diferentes agrupamentos clássicos ou provindos de Maio:[67] pelo movimento de massas, portanto, pelo protesto revolucionário da base. Mas a questão: é preciso desembocar numa organização para ao mesmo tempo colher os frutos do protesto de massas e para desenvolver esse protesto? A resposta: fundemos um novo partido ou uma nova organização que desaparecerá, vindo o momento, no novo partido que ela terá contribuído a fundar. Essas organizações atuais são fundadas sobre bases teóricas ou trotskistas ou maoístas, ou pequeno-burguesas tradicionais a variantes múltiplas.

O resultado: o Partido continua subsistindo. Ele persegue, sem ser verdadeiramente embaraçado, sua política tradicional:

67 N.T.: Trata-se de Maio de 68.

os grupelhos o irritam, mas não perturbam sua segurança. Essa serenidade exprime, à sua maneira, alguma coisa de real.

A questão torna-se: alguma coisa de substancial pode ser mudada no Partido *do interior* do Partido? Por uma tomada de consciência da base modificando a política do Partido? Por uma crise aberta no Partido, por um protesto da base, e provocando mudanças na cúpula?

É evidentemente uma questão de apreciação, mas não creio, nas circunstâncias atuais, uma possibilidade dessa ordem. Basta ver como o Partido soube "digerir" os eventos de Maio, integrá-los em sua linha tradicional, como, em particular, ele soube tratar o movimento estudantil, para ver que ele é totalmente capaz de *amortecer* mesmo um movimento de massa de grande amplitude e nele manter a direção. A política atual, que consiste em pôr adiante a CGT[68] e continuar subsistindo em sua sombra, essa divisão do trabalho hábil e eficaz prova que o Partido possui uma grande margem de manobra, em que dispositivos preventivos de ação asseguram-lhe o máximo de segurança.

Se nada de substancial pode ser mudado no Partido do fato da ação de grupelhos ou grupos oposicionais – menos ainda por uma eventual contradição entre a base (do Partido ou mesmo as massas) e a direção do Partido –, qual é esperança então?

Como uma mudança poderá em algum momento intervir?

Para encarar essa questão em sua realidade mesma, é preciso partir, ao mesmo tempo, do que se acabou de dizer (o que é excluído) e do que é suposto pelo que se acabou de dizer: a consistência, a *força do Partido*, e seus recursos. Não se mudará o Partido de fora: ele não pode ser mudado senão de dentro. Mas, ao mesmo

68 N.T.: "Confédération générale du Travail" ["Confederação geral do trabalho"].

tempo, acabou-se de ver que era impossível mudar seu dentro... Então, sem saída?

Resta uma saída, porém. É a que o Partido seja transtornado (mudado) *em seu dentro por um evento do fora*, mas um evento tal que o transtorne em seu dentro, em sua substância, *em sua linha* e suas referências políticas.

Qual poderia ser esse evento? A resposta é simples: um evento que põe muito gravemente em causa a linha política de referência do Partido, a saber, *a linha política e a existência da URSS*. Por exemplo, uma gravíssima crise na URSS, ou uma gravíssima crise, irremediável, da política internacional-internacionalista da URSS (conflito com os EUA ou com a China etc.). Uma gravíssima crise da linha política da URSS: talvez uma gravíssima crise econômico-política da URSS que atinja as consequências da ordem da decomposição nacionalista etc. Difícil de imaginar e prever.

Temos um indício: a crise tcheca incontestavelmente perturbou, durante um tempo, seriamente a linha e a direção do Partido. Ela sozinha pôde produzir esse resultado que Maio não tinha produzido: jogar a perturbação na direção do Partido. Essa brecha foi colmatada. Pode-se imaginar que eventos mais graves poderiam ter consequências de maior alcance no Partido francês. Mas enquanto sua direção não for dividida pelo evento, por um evento capaz de dividi-la, ela poderá sair do embaraço.

Um gravíssimo evento pondo em causa as referências e os princípios de sua linha política poderia abrir uma crise política grave a favor da qual uma oposição poderia exprimir-se *no próprio Partido*, e uma oposição contra a qual não se teria êxito com os métodos que serviram para Maio e o movimento estudantil.

A partir daí, não se pode bancar o profeta. Mas se pode imaginar que as massas exteriores ao Partido teriam, num maior ou menor prazo, sua palavra a dizer, inclusive certos elementos organizados nos grupos oposicionais. A grande questão será, então, saber se a crise assim aberta encontrará uma saída de direita ou uma saída de esquerda. É verossímil que a unidade do Partido não sobrevivesse a tal crise e que a direita e a esquerda reagrupar-se-iam em organizações opostas.

28 de abril de 1970

A GRETZKY (EXTRATO) (1973)

Questão: o que você entende por "historicismo"?

O historicismo é uma forma, relativamente moderna, de uma velha tradição filosófica: o *relativismo* temporal. Ele pode ser considerado também, ao mesmo tempo, como a forma do *empirismo* no domínio do conhecimento da história.

Como herdeiro do relativismo, o historicismo tem por ancestral longínquo Heráclito:[69] "tudo flui, não nos banhamos duas vezes no mesmo rio" etc. Como herdeiro do empirismo, o historicismo tem por ancestral toda uma parte da filosofia do século XVIII (Hume, Helvétius etc.) e certos aspectos da filosofia da história de Hegel.

O historicismo tomou, mais próximo de nós, uma forma caracterizada ao fim do século XIX e no início do século XX, como forma da filosofia da história burguesa: relativismo-subjetivismo-empirismo, a fim de combater a teoria marxista da história (cf. a

---

69 DUMONT, Jean-Paul *et al. Les Présocratiques*. Paris: Gallimard, 1998, pp. 136-167.

Geschichtsphilosophie,[70] a *Geistesphilosophie*,[71] Dilthey, Simmel, Rickert, Mannheim e, certamente, Weber – na Itália, Croce etc., na França, mais recentemente, Raymond Aron).[72]

Um dos "pontos sensíveis" do confronto entre o historicismo (nesse caso herdado de Croce) e o marxismo deu-se em *Gramsci*, tentando "assumir" e "ultrapassar" o historicismo de Croce ao levá-lo ao absoluto: "o marxismo é o historicismo *absoluto*".[73] Tentativa interessante (mas, ao mesmo tempo, fracassada) que faz pensar na distinção de Lênin entre verdade absoluta e verdade relativa.[74] Gramsci *buscou* alguma coisa como aquilo que Lênin *encontrou*: ele "trabalhou", também ele, sobre o "relativo" (histórico = relativo), mas acreditou que poderia sair daí generalizando-absolutizando o relativo, o relativismo – sem distinguir, como o faz Lênin, o relativo do absoluto. Ora, quando tentamos *sair* do relativismo (o historicismo) absolutizando o relativismo (= historicismo absoluto), não

---

70 N.T.: "filosofia da história".

71 N.T.: "filosofia do espírito".

72 Cf.: ALTHUSSER, Louis. "Sur l'objectivité de l'histoire. Lettre à Paul Ricoeur" (1955). *In:*_____. *Solitude de Machiavel et autres textes.* Ed. Yves Sintomer. Paris: PUF, 1998, pp. 17-31. Nessa resposta a um artigo de Ricoeur (RICOEUR, P. "Objectivité et subjectivité en histoire (1953)". *In:* _____. *Histoire et vérité*. Paris: Seuil, 1967, pp. 27-50), Althusser desenvolve uma crítica de Aron (ARON, R. *Introduction à la philosophie de l'histoire*: essais sur les limites de l'objectivité historique. Paris: Gallimard/NRF, 1938. Cf.: ARON, Raymond. *Essais sur la théorie de l'histoire dans l'Allemagne contemporaine:* la philosophie critique de l'histoire. Paris: Vrin, 1938; e ARON, Raymond. *Les Étapes de la pensée sociologique*: Montesquieu, Comte, Marx, Tocqueville, Durkheim, Pareto, Weber. Paris: Gallimard, 1967.

73 GRAMSCI, Antonio. *Cahier de prison.* tome III. Trad. P. Fulchignoni, G. Granel e N. Negri. Paris: Gallimard, 1978, Cahier 11, §27, p. 235. Cf.: GRAMSCI, Antonio. *Cahier de prison.* tome II. Trad. M. Aymard e P. Fulchignoni, 1983, Cahier 8, §204, p. 373; GRAMSCI, Antonio. *Cahier de prison.* tome IV. Trad. F. Bouillot e G. Granel, 1990, Cahier 15, §61, p. 176.

74 LÉNINE, Vladmir I. *Oeuvres.* tome XIV. Paris/Moscou: Éditions sociales/ Éditions du Progrès, 1956, pp. 134-141. Cf.: ALTHUSSER, Louis. "Soutenance d'Amiens" (1976). *In*: *Positions*: 1964-1975. Paris: Éditions Sociales, 1982, p. 171.

saímos do relativismo: nele restamos. A tese de Lênin sobre a distinção da verdade absoluta e da verdade relativa é uma das provas ("consciência de si") da distância que o marxismo toma em relação ao historicismo (= do relativismo em história).

Com efeito, o historicismo é, no essencial, uma posição filosófica que representa o relativismo no domínio do conhecimento da história.

Suas teses são simples.

Primeira tese. Tudo o que existe (qualquer que seja a natureza da "coisa" considerada, indivíduos humanos, instituições e mesmo a simples "natureza", dizia *A Ideologia alemã*, uma vez que ela é sempre "transformada pelo trabalho humano", exemplo... as árvores frutíferas)[75] é histórico: incluíndo, pois, os conhecimentos, as ciências etc.

Segunda tese. O que quer dizer "histórico"? É histórico tudo o que é dotado de uma existência *relativa* ao tempo, às circunstâncias, elas mesmas *temporais* etc., na sucessão ininterrupta e perpetuamente *mutável* de tempos e circunstâncias temporais. É histórico uma existência *absolutamente* relativa, portanto *totalmente redutível* ao tempo e às circunstâncias temporais: sem nenhum resíduo que vá além do tempo e das circunstâncias temporais, qualquer que seja a natureza desse resíduo.

Terceira tese. Se tudo é histórico, o conhecimento, ele mesmo é *histórico* (no sentido da tese 2). Em particular, *o conhecimento da história é histórico*, portanto relativo ao tempo e às circunstâncias temporais de sua existência. É, pois, o relativismo: o conhecimento da "história" pertence (sem resíduo) à história da qual ela é o conhecimento. Nesse "círculo" relativista, reconhece-se também o

---

75 MARX, Karl; ENGELS, Friedrich. *L'Idéologie allemande*. Trad. M. Rubel com L. Évrard e L. Janover. *In*: ______. *Oeuvres*: Philosophie. tome III. Paris: Gallimard, 1982, pp. 1078/1079.

"círculo" empirista: uma vez que o conhecimento do objeto história *faz parte* do objeto-história.

Decerto, o relativismo absoluto sendo insustentável (pois, no limite, não se pode *enunciá-lo*, Platão[76] bem o tinha objetado), nunca algum autor (filósofo ou historiador) sustentou posições historicistas *absolutas*. Jamais se considerou (como no subjetivismo relativista absoluto de um Protágoras) que a história fosse só uma sucessão de puros *instantes*: admitiu-se que havia "períodos", "tempos", "épocas", em suma, *permanências provisórias* na mudança geral do curso da história. E pôde-se, assim, considerar que uma teoria da história (seja uma filosofia da história, seja a teoria de Marx) fossem *a expressão* de seu tempo [*sic*], mas que elas não fossem *senão* a expressão de seu tempo, e só a expressão de *seu único* tempo. Isso é uma maneira de submetê-las e reduzi-las à *contingência* de sua própria "época" histórica, e de interditar-lhes toda pretensão de explicação de uma "época" ulterior. É assim que Marx é tratado pela maioria dos filósofos burgueses da história contemporânea. Eles dizem de bom grado (por exemplo, R. Aron):[77] Marx "exprimiu" certo número de princípios que *exprimiriam* uma "verdade" válida para o capitalismo do século XIX; mas agora o capitalismo mudou! É preciso ver bem os limites de Marx: são os limites de seu tempo. É preciso enterrá-lo em seu próprio tempo, ao qual ele pertence: Marx não poderia "saltar além de seu tempo" (o que o historicismo particular de Hegel já tinha dito para a filosofia). Essa operação filosófica é clara: o princípio do historicismo serve para se livrar de Marx, isto é, dos princípios científicos do conhecimento da história, não somente da história do tempo de Marx, mas também (com a condição de "desenvolvê-los") da nossa – e também da história anterior a Marx.

---

76 *Teeteto*, 182a - 183b.

77 Althusser pensa talvez em ARON, Raymond. *Les Étapes de la pensée sociologique*: Montesquieu, Comte, Marx, Tocqueville, Durkheim, Pareto, Weber. Paris: Gallimard, 1967, pp. 195/196.

Se o marxismo traz satisfatoriamente princípios científicos para o conhecimento da história, ele não pode ser um historicismo, isto é, um relativismo filosófico no domínio do conhecimento da história – o que lhe interditaria todo valor científico, portanto objetivo, portanto *teoricamente* independente de tempos e circunstâncias temporais. Em meus ensaios, tinha citado Spinoza: o conceito de cão não ladra (= o conceito de cão não é "canino", não é um cão), e tinha acrescentado: o conhecimento do açúcar não é açucarado, o conhecimento da história não é histórico[78] (= os conceitos teóricos que permitem o conhecimento da história não estão submetidos ao relativismo histórico).

Isso não quer dizer, evidentemente, que a teoria marxista teria escapado das leis que comandam o nascimento histórico das teorias científicas e que ela teria existido... desde toda a eternidade! E que ela não teria *história* (toda teoria, toda ciência têm história). Mas justamente as leis *da* história (tanto das formações sociais quanto das teorias) não são leis "históricas", isto é, relativistas-subjetivistas; elas não são leis "historicistas"; elas são leis objetivas, portanto não subjetivistas, não historicistas.

O relativismo historicista em história é, pois, (como resulta da distinção que precede) ligado à certa concepção, certa representação da História: aquela que caracterizamos dizendo 1. que tudo é histórico e 2. que histórico designa o fato de que toda existência é relativa a um tempo e a condições temporais que mudam perpetuamente. Essas características constituem uma representação da "natureza" da história que é *totalmente diferente* da representação marxista da história. Pode-se dizer que o "objeto-de-conhecimento" (objeto teórico, definido pelo sistema de conceitos teóricos) da

---

78 ALTHUSSER, Louis. "L'objet du *Capital* (1965)". *In*: ALTHUSSER, Louis; BALIBAR, Étinne; ESTABLET, Roger; MACHEREY, Pierre; RANCIÈRE, Jacques. *Lire Le Capital*. Paris: PUF, 1996, p. 292; ALTHUSSER, Louis. "The Historical task of Marxist Philosophy" [1967, inédito em francês]. *In*: ______. *The Humanist controversy and other writings*. Trad. G. M. Goshgarian. Londres: Verso, 2003, pp. 210/211.

história para a teoria marxista não tem quase nada a ver com o "objeto"-História da representação historicista da História. A representação historicista da história corresponde a uma *ideologia* da história, a qual sistematiza "evidências" do "sentido comum" do gênero: tudo passa, tudo muda, verdade desse lado dos Pirineus, erro além,[79] a cada um sua verdade, a cada época sua verdade. A ideologia historicista toma por *realidade* da história um sistema (mais ou menos elaborado) dessas "evidências" vulgares. Em nenhum momento a ideologia historicista põe em questão as evidências que lhe servem de justificativa: se ela as pusesse em questão, ela não seria uma ideologia.

Ora, a *realidade* da história não é inteligível senão sob a condição de um trabalho teórico (mudança de "ponto de vista", abandono da ideologia relativista-subjetivista) que se finda na crítica de todos os temas relativistas-subjetivistas, no seu abandono e na produção de um sistema de conceitos teóricos de base aos quais corresponde uma *realidade* totalmente outra da história: história como processo de aparição, de constituição (e desaparição) de formações sociais nas quais são "realizados" modos de produção, unidade das relações de produção e das forças produtivas, história "movida" pela luta de classes. O *tempo* histórico não é mais, então, a sucessão pura de mudanças ou o relativismo universal do *hic et nunc*: é o tempo *de* cada modo de produção, dos ciclos da produção e da reprodução etc. Em suma, um tempo ao qual correspondem *conceitos* totalmente outros que aqueles da ideologia historicista: dizemos uma ideia do tempo à qual corresponde um "objeto" totalmente outro que o "objeto-tempo" da ideologia historicista.

Eis, grosso modo, as razões teóricas pelas quais o marxismo não é um historicismo. Que se o diga anti-historicista deve-se à conjuntura ideológica na qual ele tem de lutar *contra*

79 PASCAL, Blaise. "Pensées". *In*: ______. *Oeuvres complètes*. Paris: Gallimard, 1960, nº 294 (Brunschvicg), p. 1149.

sua interpretação historicista para ser ele mesmo. Mas, em si, precisaria dizer que o marxismo *não é* um historicismo, ou é um a-historicismo.[80]

20 de janeiro de 1973

---

80 Cf.: ALTHUSSER, Louis. "L'objet du *Capital* (1965)". *In*: ALTHUSSER, Louis; BALIBAR, Étienne; ESTABLET, Roger; MACHEREY, Pierre; RANCIÈRE, Jacques. *Lire Le Capital*. Paris: PUF, 1996, p. 310; ALTHUSSER, Louis. "La querelle de l'humanisme" (1967). *In*: ______. *Écrits philosophiques et politiques*. tome II. Paris: Stock/Imec, 1995, p. 447.

PROJETO DE RESPOSTA A PIERRE VILAR (SEM DATA: 1972? 1973?)

Corri evidentemente grandes riscos aventurando-me no domínio da história, não da categoria filosófica de história, mas da história dos praticantes, dos historiadores. E Vilar[81] fez muito bem ao dar relevo à precipitação de alguns de meus juízos. Mas não penso, ao ler a crítica que ele quis consagrar a mim, que dela ele tenha recusado o princípio.

Penso, com efeito, que a pretensão da filosofia marxista em ter o que dizer sobre o trabalho dos historiadores é, no princípio, fundada. Por uma primeira razão muito simples: é que existe em história, como em toda ciência, uma ideologia dos praticantes, que chamei, a partir de Lênin, de sua filosofia espontânea.[82] E

---

81 VILAR, Pierre. "Histoire marxiste, histoire en construction". *In*: _____. *Une histoire en construction*: approche marxiste et problématiques conjonctu-relles. Paris: Seuil/Gallimard, 1983.

82 ALTHUSSER, Louis. *Philosophie e philosophie spontanée*. [S.l.]: [s.n.], 1967, p. 98. Trata-se da primeira publicação propriamente dita de quatro das cinco conferências pronunciadas por Althusser em novembro-dezembro de 1967 no quadro de um "Curso de filosofia para cientistas", que ele professou com cinco colegas na École Normale Supérieur de Paris. O texto dessas

essa filosofia espontânea, que parece, à primeira vista, limitada ao círculo estreito da relação entre o praticante e sua prática, remete sempre, de fato, a temas filosóficos desenvolvidos fora dessa prática pelas grandes filosofias antagonistas, digamos, pelas filosofias dominantes e aquelas que contestam essa dominação. Se, no detalhe, a demonstração requeria pesquisas precisas, sente-se bem, para retomar só esse grande exemplo, que a Escola dos Annales na França nasceu de uma reação política e ideológica contra a história universitária reacionária dominante, e que detrás dessa reação havia a realidade das grandes lutas políticas francesas, as quais viriam a desembocar no Fronte Popular. Mas há uma outra razão, a qual se inscreve sob a primeira: é que, não mais que qualquer outra ciência, a ciência da história não pode prescindir da filosofia, espontânea ou refletida. No princípio, pois, a filosofia pode ter o que dizer sobre os trabalhos dos historiadores. E quando essa filosofia apoia-se sobre a teoria marxista da história, ela tem duplamente o que dizer: filosoficamente e teoricamente.

Creio que é preciso aqui, de início, dissipar um mal-entendido a propósito do historicismo. Quando se diz, como o fiz, que o marxismo não é um historicismo, arrisca-se a ser mal compreendido pelos historiadores, os quais, não somente por razões de palavras, mas talvez também por razões teóricas, creem que a história é posta em causa, se não em acusação.

Digamos, para ser breve, que se pode ter tendência a considerar que se o marxismo é um anti-historicismo, ele não pode senão se furtar à história, ou não pode tratar a história senão reduzindo-a a estruturas abstratas incapazes de dar conta do devir histórico, das lutas históricas etc. Ora, é totalmente o contrário que é verdadeiro, mas com *uma* condição, a qual a tese do anti-historicismo do marxismo é justamente destinada a pôr em

---

conferências circulava sob forma mimeografada desde 1967. Cf.: LÉNINE, Vladmir I. *Oeuvres*. tome XXXIII. Paris/Moscou: Éditions sociales/Éditions du Progrès, 1956, pp. 235 e ss.

evidência. Qual é essa condição? A distinção entre a história vivida e o conhecimento da história, a distinção entre as representações ideológicas da história e as categorias e as análises científicas que conduzem ao conhecimento da história. Essa distinção, Marx[83] a exprimiu muitas vezes através de sua *boutade*:[84] se a essência (ou conhecimento) se reduzisse ao fenômeno (ao dado imediato), não seria preciso ciência (*boutade* engraçada, que retoma, sem dúvida, a *boutade* britânica célebre: se minha tia tivesse duas rodas...).[85] Essa distinção, Marx[86] também a exprimiu dizendo que não é adicionando sucessões que se chega a explicar o funcionamento do todo social, ou ainda insistindo sobre o fato de que não haveria identidade entre a ordem de sucessão das categorias na teoria e sua ordem de sucessão na história etc. O anti-historicismo[87] teórico significa, pois, que os conceitos que dão o conhecimento da história não existem em estado imediato na história visível, e mais geralmente que o conhecimento da história, sendo também ele totalmente um evento da história, não é histórico no sentido vulgar do termo, isto é, não é subjetivo ou relativo.

---

83 MARX, Karl. "Le Capital", Livre II. *In*: _____. *Oeuvres*: économie, 2. tome I. Trad. M. Rubel e J. Malaquais. Paris: Gallimard, 1968, p. 1439; MARX, Karl. "Lettre à F. Engels du 27 juin 1827". *In*: _____. *Correspondance*. tome VIII. Trad. G. Badia *et al.* Paris: Éditions sociales, 1981, p. 397; MARX, Karl. "Lettre à L. Kugelmann du 11 juillet 1868". *In*: _____. *Correspondance*. tome IX. Paris: Éditions sociales, 1982, p. 264.

84 N.T.: Manteve-se a palavra no original.

85 N.T.: Trata-se, de fato, de uma *boutade* inglesa que, completa e em francês, seria "si ma tante avait deux roues, ce serait une bicyclette!", literalmente, "se minha tia tivesse duas rodas, seria uma bicicleta!" Trata-se do uso do condicional enquanto irreal do presente.

86 MARX, Karl. "Introduction générale a 'Contribution à la critique de l'économie politique'". *In*: _____. *Oeuvres*: *économie*, 1. Trad. M. Rubel e L. Évrard. Paris: Gallimard, 1963, pp. 255/256 e 262; MARX, Karl. "Lettre à F. Engels du 2 avril 1858". *In*: _____. *Correspondance*. tome IX. Paris: Éditions sociales, 1975, p. 171.

87 O datilografado traz "anti-humanismo".

Eu falava do mal-entendido: mas devo acrescentar, tendo em conta as suas críticas, que jamais houve entre mim e Pierre Vilar o menor mal-entendido. As críticas e reservas de Vilar são fecundas, pois elas tratam de questões totalmente outras, internas à compreensão da lógica dos conceitos da ciência da história.

LIVRO SOBRE O IMPERIALISMO (EXTRATOS) (1973)

[Advertência]

Este livro é consagrado a uma questão "clássica" no marxismo desde Lênin: ao imperialismo.

Por que este livro?

Por uma simples razão. Vivemos no "estágio" do imperialismo, o qual é o último estágio da história, isto é, da existência do capitalismo. Mesmo se lutássemos, ao lado da classe operária, contra o imperialismo, seríamos submetidos ao imperialismo. Ora, para vencer o imperialismo, devemos conhecer o imperialismo. Devemos conhecer o que distingue o imperialismo dos outros estágios do capitalismo, devemos ter uma ideia tão precisa quanto possível de suas características próprias e de seus mecanismos. É somente com essa condição que a luta de classe proletária será bem conduzida e poderá atingir a revolução, a ditadura do proletariado e a construção do socialismo: nessa Longa Marcha que nos fará passar do capitalismo ao comunismo.

Todavia, dir-se-á, essas coisas são bem conhecidas. Nessas condições, por que este livro?

Essas coisas são bem conhecidas... É tão certo assim? É verdade, *falamos* do imperialismo e repetimos a bel-prazer as fórmulas de Lênin sobre as guerras e agressões imperialistas, sobre a partilha do mundo, sobre a pilhagem das riquezas de países não imperialistas etc. É verdade, apoiamos a luta heróica desses povos da Indochina contra o imperialismo francês, depois americano, derrotado militar e politicamente em campo por seu menor e, sobretudo, por seu outro. No entanto, veja o que se passa: temos naturalmente a tendência a *identificar* imperialismo e conquistas e agressões "coloniais" ou "neocoloniais" com pilhagem e exploração do Terceiro Mundo. Tudo isso faz parte verdadeiramente do quadro de caça[88] do imperialismo. Mas sabemos que o imperialismo se exerce primeiramente e antes de tudo nas metrópoles, nas costas dos trabalhadores metropolitanos? Que o imperialismo seja primeiramente e antes de tudo um negócio interior (e mundial) antes de ser um negócio de intervenções exteriores?

É preciso, pois, que as coisas sejam claras.

Para Lênin, o imperialismo é o "estágio supremo", "derradeiro", "culminante" do capitalismo, num sentido extremamente preciso. É o último estágio da história, isto é, da existência do capitalismo. Depois, acabou: não há mais capitalismo. Depois, é a revolução proletária, a ditadura do proletariado e a construção do socialismo. Depois começa a longuíssima "transição", a qual deve fazer passar do capitalismo ao comunismo: justamente a construção do socialismo, obrando a via para a passagem ao comunismo.

Mas atenção! Quando Lênin diz: o imperialismo é o último estágio do capitalismo e depois acabou – é preciso ver

1. que esse último estágio pode durar muito;

---

88 N.T.: Em francês, a expressão *tableau de chasse* (expressão também presente em língua inglesa: *bag*, *hunting bag* ou *bag statistics*) refere-se à exposição da quantidade de animais mortos pelos caçadores como demonstrativo de seu êxito e grandeza.

2. que, depois, encontramo-nos diante de uma alternativa: depois, é "*ou* o socialismo, *ou* a barbárie". Essa sentença é de Marx e de Engels.[89] Ela quer dizer: a história não tende "naturalmente" e sozinha para o socialismo, pois a história não persegue a realização de um fim, como o criam todos os idealistas. Ela quer dizer: se as circunstâncias são favoráveis, isto é, se a luta de classe proletária foi bem conduzida e se ela é bem conduzida, *então*, e *somente então*, o fim do capitalismo pode atingir a revolução e o socialismo, conduzindo, pela longa marcha da "transição", para o comunismo. Senão, o fim do capitalismo pode atingir a "barbárie". O que é a barbárie? Uma regressão aí mesmo, um apodrecimento aí mesmo, como a história da humanidade ofertou centenas de exemplos disso. Sim, nossa "civilização" pode morrer aí mesmo, não somente sem passar a um "estágio" superior, nem regressar a um estágio inferior que já existiu, mas acumulando todos os sofrimentos de um parto que não pode alcançar e de um aborto que não é uma dequitação.[90] [91]

---

89 A célebre fórmula "socialismo ou barbárie", atribuída a Engels por Rosa Luxemburgo em 19, parece ser seu próprio atalho de uma fórmula que Lênin tinha empregado num artigo publicado alguns meses antes. Luxemburg, Rosa. *La Crise de la social-démocratie* ["Brochure de Junius"] *suivi de sa critique par Lénine*. Trad. J. Dewitte. Bruxelles: La Taupe, 1970, p. 68; LÉNINE, Vladmir I. *Oeuvres*. tome XXI. Paris/Moscou: Éditions sociales/Éditions du Progrès, 1956, p. 295. "Fora da guerra civil para o socialismo, sem liberação contra a barbárie [...]". A fórmula de Lênin, por sua vez, é uma variação sobre um tema de Kautsky, Karl. *Das Erfurter Programm*. Berlin: Dietz, [1892] 1965, p. 141.

90 O texto da "Advertência" termina aqui, provavelmente inacabado. Althusser desenvolve as questões abordadas aqui num capítulo que parece ser uma outra versão do início do *Livro sobre o imperialismo*, "Barbárie: o fascismo foi uma primeira".

91 N.T.: A "dequitação" [*délivrance*] é a última fase do parto.

[Sobre a relação dos marxistas com a obra de Marx]

O que eu gostaria de expor é definitivamente *muito simples.*

Se nós temos a tendência a considerá-lo como muito complicado, eis (palavra que causa furor no Partido, mas que só serve para recusar toda explicação quando o assunto é um pouco constrangedor) "complexo", é pelo efeito de uma causa, ela mesma muito simples, ao menos em seu princípio. Não é porque as explicações de Marx são complicadas; não é tampouco porque Marx, devendo *arrancar-se*, e sozinho, do peso gigantesco da ideologia burguesa que pesava sobre si, deveu tomar milhares e milhares de precauções, guardar-se e à direita e à esquerda, e armar-se de todos os argumentos possíveis. Não. Pois eis mais de cem anos que Marx escreveu *O Capital.* Mais de cem anos para lê-lo, pôr às claras suas dificuldades e retificar seus inevitáveis erros (qual é, dentre todos os cientistas que inauguraram uma ciência, aquele que não disse algumas bobagens ao começar [sua] obra de gigante?). Mais de cem anos para compreendê-lo, simplesmente.

Ora, qual uso foi feito, sob essa relação (aquela da compreensão de *O Capital*), nesses cem anos? Um uso, considerando-o bem, estranho, desconsertante, sem precedente, e sob relações surpreendentes. Pois, se os ensinamentos maiores de *O Capital* bem entraram na luta da classe proletária, nos sindicatos e nos partidos proletários (e está aí, politicamente, a coisa mais importante, de longe), é preciso admitir que a compreensão de *O Capital* fez muito pouco progresso.

Os grandes intelectuais da Segunda Internacional – não falo somente de Kautsky, marxista não negligenciável (veja *A Questão agrária*);[92] de Bernstein, quem pudemos muito cedo recusar; mas

92 KAUTSKY, Karl. *La Question agraire*: étude sur les tendances de l'agriculture moderne. Trad. E. Milhaud e C. Polack. Paris: Maspero, 1970. (Bibliothèque socialiste internationale, 1900, réimp. En fac-similé).

também de Mehring[93] (autor da biografia de Marx)[94] e de Rosa Luxemburg (que é preciso, contudo, tratar com particulares considerações, pois, Lênin[95] *dixit*, era "uma águia") –, esses grandes intelectuais, na maioria das vezes universitários, muito versados em leitura e explicação, em exegese de textos, o que eles fizeram com *O Capital*? Para lê-lo, eles o leram certamente melhor que todos no mundo, talvez, em todo caso, melhor que os marxistas de nossa geração. Eles o leram, mas *não o compreenderam*. Restaram aquém de *O Capital* que eles liam, e Lênin teve que nos explicar o porquê: eles o liam como universitários marxistas, eles não o liam do ponto de vista das posições teóricas de classe do proletariado, eles o liam, pois, com posições teóricas de classe (mais ou menos) burguesas.

O único que tinha lido (muito jovem) e compreendido (de imediato) *O Capital* foi Lênin. Testemunham isso seus textos de juventude. Ele não se enganou sobre o que lia. De imediato, captou o sentido de classe da obra de Marx e entendeu que, para compreender *O Capital*, seria preciso lê-lo com posições teóricas e políticas de classe. Daí as extraordinárias explicações de texto dos primeiros ensaios de Lênin, nos quais ele impunha aos populistas e a outros economistas românticos essa verdade elementar que Marx não é economia política, mas a crítica à economia política, isto é, antes de tudo, a crítica do economicismo, pois somente o economicismo crê que a economia política seja economia política.

Mas Lênin não foi o único leitor verdadeiramente fiel a Marx, o único leitor de *O Capital* verdadeiramente fiel a *O Capital*. Ele "desenvolveu a teoria marxista". Ele escrevia, justamente numa

---

93 Havia uma lacuna neste lugar do datilografado, onde o nome "Mehring" foi acrescentado à mão.

94 MEHRING, Franz. *Karl Marx*: histoire de sa vie. Trad. J. Mortier. Paris: Batillage, [1918] 2009.

95 LÉNINE, Vladmir I. *Oeuvres*. tome XXXIII. Paris/Moscou: Éditions sociales/ Éditions du Progrès, [s.d.], p. 212.

de suas obras de juventude (*Quem são os amigos do povo?*):[96] "Marx não nos deu senão pedras angulares. Devemos desenvolver sua obra em todos os sentidos". Lênin pensava então (ele aí faz explicitamente alusão) na análise concreta de cada país ocidental – mas pensava também mais longe. E o provou, não somente no domínio da prática da luta de classe, no qual avançou novas teses decisivas, mas também no domínio da teoria, no qual nos trouxe teses filosóficas muito importantes (o elo decisivo, o desenvolvimento desigual etc.), e no domínio do materialismo histórico, no qual nos deu a teoria do imperialismo (mesmo que sob uma forma muito esquemática, segundo seu próprio parecer).

Lênin, contudo, não tocou em Marx. Numa passagem de *Que fazer?*, creio, ele diz que é *a favor de uma revisão do marxismo*, pois toda ciência deve ser retificada, pois toda ciência é "infinita" e, pois, deve começar por fórmulas necessariamente imperfeitas, e que é preciso, caminhando, saber retificar. E ele cita Mehring[97] (aquele de quem eu buscava o nome) como o exemplo de um marxista que retificou certas declarações (presumivelmente *históricas*) inexatas de Marx. E Lênin diz: Mehring tinha razão de revisar Marx, pois ele o fez *sob todas as precauções científicas possíveis*. À essa revisão, Lênin opõe a pseudo-revisão de Bernstein, quem não caiu senão na ideologia burguesa. Lênin reconhecia, pois, em princípio (e citava o exemplo de Mehring), que, para perseguir sua vida de ciência, a ciência fundada por Marx devia *necessariamente* ser *retificada*. Sem o que ela não seria mais ciência, mas coletânea de fórmulas e de receitas decaídas de seu lugar de ciência. Lênin, contudo, quem prolongou a ciência marxista pela teoria do imperialismo, *jamais retificou fórmula alguma de Marx*, declarando que essa fórmula

96 A citação é tirada de outro texto de juventude de Lênin, "Notre programme (1899)": LÉNINE, Vladmir I. *Oeuvres*. tome IV. Paris/Moscou: Éditions sociales/Éditions du Progrès, [s.d.], p. 218. Cf.: LÉNINE, Vladmir I. *Oeuvres*. tome I. Paris/Moscou: Éditions sociales/Éditions du Progrès, [s.d.], p. 148.

97 Althusser pensa talvez em *Matérialisme et empirio-criticisme* de LÉNINE, Vladmir I. *Oeuvres*. tome XIV. Paris/Moscou: Éditions sociales/Éditions du Progrès, [s.d.], p. 16.

fosse inexata e que precisaria, por tal ou tal razão, retificá-la. Seria totalmente exato? Não. Pois constatamos que Lênin *dispensou-se* de empregar por sua conta certas fórmulas *filosóficas* de Marx. Maneira, sem dúvida, de considerá-las como mal-vindas, uma vez que não as podia retomar. Crítica, se se quiser, mas crítica que não deu suas razões, talvez porque Lênin as considerava como ofuscantes (assim: a categoria da *alienação*, que faz a alegria de nossos marxólogos burgueses e mesmo de numerosos marxistas comunistas, categoria ainda presente em *O Capital*, desaparece *completamente* em Lênin: manifestamente, dela ele não precisa para compreender *O Capital*).

Ora, se pusermos de lado esse silêncio sintomático e se, ao mesmo tempo, notarmos que é um silêncio que não dá suas razões, é forçoso constatar que *Lênin jamais criticou-retificou nenhuma fórmula teórica de Marx*. O próprio Lênin, quem escreveu que era normal retificar o marxismo (e mesmo revisá-lo) em tal ou tal ponto errado, e necessariamente errado, pois, tão genial quanto fosse, Marx não era senão um homem, e um homem que lança as bases de uma ciência nova, tomado como está na ideologia da qual ele deve se livrar para fundá-la, tem grandes chances de restar fixado em certas visões, mesmo parciais, erradas – o próprio Lênin não aplicou seu claro princípio. Ele tomou Marx tal como este se apresentava. Ele admiravelmente compreendeu-o. Mas nisso ele *nada mudou* de essencial. Se ele abandonou tal ou tal categoria filosófica que lhe parecia manifestamente excessiva ou errada, Lênin não retificou nenhuns conceitos científicos, não retificou nenhuns resultados científicos da obra científica de Marx.

E se Lênin recusou-se a essa audácia, ou antes, pois não se pode tratar isso como caso de audácia, a esse simples direito, digamos, a esse *dever* em face da ciência fundada por Marx, o que dizer de seus sucessores? Talvez só Gramsci sentiu essa necessidade e sentiu que era *vital* retrabalhar certas aquisições de Marx. Mas antes que certas fórmulas de Marx, são fórmulas de seus sucessores que ele criticou (Engels, o manual de Bukharin),[98] e no mais das vezes fórmulas *filosóficas*, mas, que eu saiba, Gramsci, quem assim como Lênin avançou em terras mal exploradas por Marx (em seu caso: o domínio da superestrutura), não retomou Marx em suas próprias fórmulas científicas. Aliás, a prisão de Gramsci interditou-lhe o contato com os textos mais importantes. Isso se sente em seus *Cadernos do cárcere*: *O Capital* está praticamente ausente aí (mas curiosamente, o Prefácio à Contribuição retorna aí sem parar, assim como as Teses sobre Feuerbach). Portanto, se Lênin e Gramsci recusaram-se a esse *dever*, o que dizer dos sucessores de Lênin, dos contemporâneos de Gramsci e de seus epígonos atuais? Certamente, eles "revisam" Marx e *O Capital*, bem como a teoria do valor-trabalho, e rejeitam, como nosso Aron,[99] a teoria do mais-valor e, de uma maneira geral, todos os princípios do materialismo histórico. Mas nós caímos então no caso do qual falava Lênin: se a revisão do marxismo é sua retificação científica em tal ou tal ponto, rigorosa e incontestável, de acordo! Mas se ela é uma maneira aberta ou disfarçada, total ou parcial, de lançar o marxismo ao mar, então a causa é ouvida. Nada temos em comum com esses senhores. E é perfeitamente inútil falar disso doravante.

É, contudo, perante essa situação surpreendente que nós nos encontramos. "Revisões" do marxismo que são tantas liquidações do marxismo, destas temos aos montes, e das sérias, das sutis, e das patéticas, e das vulgares e mesmo das grosseiras: para todos os gostos. Mas "revisões" do marxismo que sejam tantas *retificações científicas* precisas, limitadas (a tal ou tal conceito, a tal ou tal questão), argumentadas, provadas e incontestáveis, *nós simplesmente*

---

98 BOUKHARINE, N. *La Théorie du matérialisme historique*: manuel populaire de sociologie marxiste. Paris: Éditions sociales internationales, 1927.

99 ARON, Raymond. *Le Marxisme de Marx*. Paris: Éditions de Fallois, [1963] 2002, pp. 346-348, 375-447 e 462; ARON, Raymond. *Les Étapes de la pensée sociologique*: Montesquieu, Comte, Marx, Tocqueville, Durkheim, Pareto, Weber. Paris: Gallimard, 1967, pp. 161-163; ARON, Raymond. *D'une Sainte famille à l'autre*: essais sur les marxismes imaginaires. Paris: Gallimard/NRF, 1969, pp. 175-204 e 298.

não as temos. Repito: temos "desenvolvimentos" do marxismo a propósito de tal ou tal "objeto" (por exemplo, o imperialismo de Lênin), a propósito de tal ou tal domínio (por exemplo, a superestrutura por Gramsci). Esses "desenvolvimentos" do marxismo são enriquecimentos da teoria marxista, não se trata de negá-los. E não se trata de negar que esses enriquecimentos teóricos (por exemplo, a teoria do imperialismo de Lênin) também deram prodigiosas consequências práticas no domínio da condução da luta de classe proletária (e no internacionalismo proletário). Mas esses desenvolvimentos *não são, por nada, retificações científicas* das formulações de Marx. Os burgueses passam seu tempo dizendo que Marx se enganou. É o negócio deles e está na ordem (seria talvez interessante por vezes meter-se à escuta do discurso dos mais sérios dentre eles, uma escuta crítica, mas sigamos adiante). Mas *jamais algum marxista disse que Marx se enganou em tal ou tal de suas fórmulas científicas*: nenhum demonstrou que tal fórmula de Marx fosse equivocada e que seria preciso retificá-la e substituí-la por uma outra.

Eis a história de nossas relações com a obra científica de Marx. E, contudo, ao mesmo tempo, dizemos que Marx fundou uma ciência, e, dizendo-o, afirmamos que, consequentemente, se a teoria de Marx não é uma filosofia (uma filosofia não tem necessidade de ser retificada para viver), mas uma *ciência*, ela deve simplesmente, para viver como ciência, ser retificada em certos pontos precisos. Somos, assim, os defensores e os representantes de uma ciência à qual não prestamos, desde cem anos ou mais, o serviço elementar de retificar o mais singelo de seus conceitos, a mais singela de suas formulações, o mais singelo de seus raciocínios de partida! Singular maneira de servir essa ciência! Onde poderíamos talvez encontrar algo para explicar algumas das dificuldades científicas nas quais nós nos encontramos, alguns dos obstáculos científicos com os quais nos deparamos, sem falar nas objeções e respostas com as quais nos embaraçamos? Isso sem falar nas teorias imaginárias que inventamos a fim de dar conta desses impasses.

Teorias imaginárias? Digamos algumas palavras sobre uma das mais notáveis que existem. Para justificar, e sua impotência teórica (filosófica e científica), e dar-se a boa consciência política correspondente (pois todos sabem: quando um cristão se embaraça com uma dificuldade séria, em nosso espaço de três dimensões, ele escapa pela quarta, o Céu: da mesma maneira, quando certos marxistas se embaraçam com uma dificuldade teórica em nosso infeliz espaço de três dimensões, eles escapam pela quarta dimensão: a política!), certos marxistas, já sob a Segunda Internacional, depois sob a Terceira, inventaram essa coisa prodigiosa, que a teoria de Marx era uma *filosofia*. Marx e Engels tinham, contudo, centenas de vezes declarado que *O Capital* era uma obra científica, Lênin o retomou e explicou sem nenhum equívoco em *Quem são os "amigos do povo"*: Marx fundou uma ciência, uma ciência muito particular decerto, pois revolucionária, mas uma ciência. Lênin[100] explica que, como todas as ciências, ela é *experimental*, que como toda ciência experimental, ela repousa sobre a *repetição* de fenômenos, põe em jogo um sistema de conceitos abstratos e fornece pela experimentação resultados objetivamente provados, incontestáveis (salvo para aqueles que, por razões de classe, não os querem ver).

As declarações insistentes e multiplicadas de Marx e Engels, as explicações detalhadas de Lênin, você crê que isso poderia ter algum peso? Vamos! Ao menos uma vez, não usemos luvas com os textos dos clássicos: suprimiríamos pura e simplesmente como "cientistas" (os infelizes viviam evidentemente num tempo de obscurantismo epistemológico) todas essas tomadas de posição vergonhosas. E declararíamos da maneira mais simples do mundo que a teoria marxista seria fundamentalmente uma filosofia (há isso já em Labriola, que era grande) ou pura e simplesmente filosofia (tese de Lukács, Korsch, Révai etc.). Acaso você pensa que essa posição teria desaparecido com esses nomes grandes ou pequenos? De jeito

---

100 LÉNINE, Vladmir I. *Oeuvres*. tome I. Paris/Moscou: Éditions sociales/Éditions du Progrès, [s.d.], pp. 154 e ss.

nenhum. Nós a arranjamos, como convém à nossa modernidade, e nós nos dissemos, escrevemos, nos textos os mais oficiais, que têm curso hoje ainda, vinte anos após a morte de Stálin, quem pontuou a fórmula, que "o materialismo histórico é parte integrante do materialismo dialético". Ou as palavras nada querem dizer, ou elas querem dizer isto: a ciência marxista é parte integrante da filosofia (marxista) que leva o nome de materialismo dialético.

Uma ciência parte integrante de uma filosofia, o que seria senão, no melhor dos casos, um departamento da filosofia? E um departamento ("parte integrante", portanto "componente") da filosofia, o que seria senão da filosofia? Com ares de ciência, talvez, mas que não sabe que ela é filosofia. Como, ao mesmo tempo, os mesmos autores autorizados declaram que a dita filosofia é "científica", e ei-los bem embaraçados para pensar qual diferença pode ter aí entre uma ciência "parte integrante da filosofia" e a dita filosofia "científica"! Mas o problema para eles não é *pensar* o que eles dizem, é *dizer* o que eles pensam, mesmo se eles não podem pensar o que pensam. E eles precisam dizer o que eles dizem justamente para fazer face à inverossímil situação que aceitam como *normal*: a existência de uma ciência a qual não se deve tocar, de uma ciência da qual não é preciso, sobretudo, retificar o mais singelo conceito, de uma ciência que se guarda bem arrumada nos Livros dos Clássicos, embalsamada como o corpo do pobre Lênin, que nada mais pode na cripta do Kremlin.

Eis uma teoria imaginária: a teoria marxista é uma filosofia, o materialismo histórico é "parte integrante do materialismo dialético". E eis para que serve essa teoria imaginária: se a ciência marxista é uma filosofia, como uma filosofia não precisa ser retificada para viver, então nenhuma necessidade de retificar a ciência marxista! Proibido retificar a ciência marxista! Ou antes (pois ambas as explicações não são cada uma senão o reverso da outra): se nós vivêssemos há cem anos cara a cara com Marx e O *Capital* sem jamais nada aí ter tocado, nada retocado, é que nada há para retocar numa teoria que, em seu fundamento, não é uma ciência, mas uma filosofia, ou "parte integrante" da filosofia marxista.

A essa solução imaginária (há outras, as quais desempenham objetivamente a mesma função), é preciso, no entanto, opor uma explicação real e verificável. Vamos ao fundo das coisas. Se mantivéssemos essa estranha e surpreendente relação com *O Capital* desde cem anos atrás, é por causa da luta de classes. É preciso nos acordarmos aqui sobre o conceito de luta de classes. Temos forte tendência, quando falamos de luta de classes, a crer que o que está em causa é a luta de classe do proletariado e de seus aliados. Como tomamos parte em sua luta e estamos interessados em sua vitória, é coisa normal. Mas arriscamos esquecer a luta de classe burguesa: sobretudo, arriscamos esquecer que, salvo quando a relação de forças se inverte, é a burguesia que tem a iniciativa geral na luta de classe, noutros termos, é a luta de classe burguesa que é a mais forte. O que chamamos de dominação da classe no poder traduz-se pela preponderância da luta de classe burguesa sobre a luta de classe proletária.

Ora, a burguesia leva sua luta de classe implacável com todos os meios, legais e ilegais, ao mesmo tempo, *na base econômica* (a produção e as trocas), sob as formas de opressão próprias à extorsão do mais-valor absoluto e relativo, e, na superestrutura, pelo aparelho repressivo de Estado e pelos diferentes aparelhos ideológicos de Estado (dentre os quais o aparelho político: a "democracia" burguesa, mas também a Igreja, a Escola etc.). Quando pensamos na luta de classe burguesa, temos a forte tendência de evocar somente o aparelho repressivo de Estado e o "sistema político" da democracia burguesa. Negligenciamos a luta de classe burguesa na base econômica, da qual os trabalhadores conhecem a terrível realidade – a luta de classe burguesa na "ideologia".

Por que esses lembretes? Para explicar que, uma vez provido da teoria de Marx, o movimento operário teve outras tarefas que aquelas de retificar *O Capital*. Fora preciso, primeiramente, defender-se contra os reiterados assaltos da burguesia, contra a reação geral que se seguiu à Comuna de Paris, e constituir pacientemente partidos operários. Mas, uma vez constituídos esses partidos, uma vez recrutados intelectuais de alto valor, como aqueles da Segunda e da Terceira Internacional, uma vez formados teoricamente os intelectuais do movimento operário que foram seus grandes dirigentes, uma vez recrutados intelectuais de formação universitária inconteste, primeiro sob a Segunda Internacional, daí, após sua traição, sob a Terceira, como explicar que fosse *constantemente adiada* a tarefa, vital para a ciência marxista, de retomar os começos da ciência de Marx, de neles examinar os conceitos e as fórmulas e de retificá-los aí onde era preciso?

Há nisso alguma coisa como que um mistério, que não pretendo desvendar, mas a propósito do qual eu gostaria de propor uma hipótese *parcial*. Digo: parcial, pois é, no atual estado dos documentos e informações das quais dispomos (e é um outro fato notável somente essa segunda carência) – é difícil dizer se a "causa" parcial que vou evocar não seria ela mesma um "efeito" de uma situação política mais geral. E é por isso que eu falo de "mistério", e nesse sentido, no sentido de uma realidade da qual não se pode atualmente esclarecer todas as razões, e não no sentido de um fenômeno que fosse impenetrável por natureza.

Direi isto, pois (explicação parcial): parece-me que a relação de forças na luta de classe ideológica era tal que os intelectuais do movimento operário (seus dirigentes e outros) sofreram na posição teórica deles, e profundamente sofreram, mesmo que não estando de acordo, a influência da ideologia burguesa. Essa hipótese não é uma hipótese sem apoio: ele pode ser sustentada por numerosos fatos consideráveis e impressionantes. Para considerar *só* esse aspecto, a revolução científica mais importante de Marx em O *Capital* consiste em demonstrar que, para compreender as leis de fenômenos ditos econômicos, era preciso passar pela prévia absoluta de uma "Crítica" radical da "Economia política", isto é, da concepção burguesa, idealista, abstrata, eterna, limitada e, finalmente, errada (mesmo quando ela propunha algumas explicações com justeza no detalhe) dos ditos fenômenos.

É preciso tomar cuidado com essas palavras – idealismo, eternitarismo, abstração etc., pelas quais se qualificaria, desde o próprio

Marx, quem as empregou, a concepção burguesa da economia com a qual Marx rompeu – ao pronunciá-las. Pois essas palavras são de uma pobreza insigne, e não importa qual economista burguês inteligente as retome por sua conta. Eis justamente um caso em que, empregando as palavras de Marx, devemos *fazê-las falar*, completá-las, ou, se se preferir, substituí-las por outras palavras.

Não basta, com efeito, dizer que a concepção burguesa é idealista, eternitária etc., a fim de compreender o que Marx diz. O que Marx diz não é o avesso ou a negação ou a inversão da concepção burguesa. Marx diz algo *totalmente diferente*, que não tem nada a ver com a concepção burguesa. Marx critica a economia política (sua concepção burguesa) para dizer isto: para compreender os fenômenos ditos econômicos (ele mantém a palavra), é preciso compreendê-los primeiramente como fenômenos da "base" (ou infraestrutura).

Ora, o que é a "base" de um modo de produção? É a unidade das forças produtivas e das relações de produção *sob as relações de produção*. Primeira consequência: os fenômenos econômicos não são inteligíveis por si mesmos, mas por relações, as relações de produção, que são definitivamente *relações de classe* estabelecidas em torno da detenção e da não detenção dos meios de produção. Ora, quem diz relações de classe diz luta de classes. Em duas palavras, eis, pois, o que diz Marx, e que a economia política absolutamente não pode suportar: a chave dos fenômenos econômicos são as relações de produção. Ora, as relações de produção põem em presença a classe capitalista, que detém os meios de produção, e a classe operária, que deles é privada, e vende sua força de trabalho, a qual explora a classe capitalista.

Reviremos a coisa como quisermos, reencontraremos a mesma conclusão: a luta de classe está presente em pessoa no seio mesmo dos fenômenos econômicos. Se dissermos: as relações de produção são relações de classe, porque põem em presença, a propósito dos meios de produção, as duas grandes classes da sociedade capitalista; ou se dissermos: a relação de produção capitalista é a relação da venda da força de trabalho, isto é, a relação de exploração da força de trabalho, reencontramos também as classes (aquela que vende e aquela que compra, para explorá-la, a força de trabalho), reencontramos as duas classes e, pois, sua luta. Pois não há classes sem luta de classes. Eis o que descobrimos em Marx quando passamos detrás das fórmulas da "Crítica da Economia Política" (idealismo, eternitarismo etc.): a luta de classes.

Graças a Marx, podemos agora dizê-lo tão claramente. Marx o disse, mas ele entrou em todos os detalhes de uma demonstração técnica, examinando as formas materiais da existência dos fenômenos econômicos, sem nada negligenciar de suas variações. Alguns puderam, na aridez de uma parte do Livro II e do Livro III de *O Capital*, perder "o fio". Alguns também puderam perder-se no laborioso e frequentemente infeliz começo de *O Capital*. Mas os economistas burgueses aí, no conjunto, jamais enganaram-se. E contra Marx, eles desencadearam todas as forças de sua inteligência. Seria preciso lembrar que se preparou o contra-ataque quando Marx ainda estava vivo, do qual Engels tentou conter as primeiras ondas, aquelas do marginalismo e aquela de Walras e consortes? Seria preciso lembrar que esse contra-ataque, que queria restaurar a economia política em sua pureza, sua tecnicidade, sua neutralidade, sua "humanidade" maravilhosamente psicológica, desdobrava-se em outros ataques, nos domínios da filosofia, da história e da política? Essa gigantesca ofensiva, essa prodigiosa ofensiva da luta de classe ideológica burguesa, levada à edição, à imprensa, às universidades e retransmitida por todos os elementos não marxistas ou antimarxistas de um movimento operário ainda mal formado, é verossímil que ela não se deu sem influenciar os "intelectuais" encarregados da defesa da teoria marxista. Sobretudo se retermos que numerosos dentre eles eram, e um número muito mais elevado dentre eles é ainda hoje, marcados pela ideologia burguesa que lhes é distribuída, com toda "neutralidade" e "laicidade", no aparelho ideológico de Estado escolar-universitário.

Se essa hipótese é verdadeira, mesmo parcialmente, ela pode esclarecer o que é preciso chamar de a forma defensiva que tomou há cem anos a obra teórica de Marx. Uma defesa aposentada para alguns: para numerosos teóricos da Segunda Internacional, os quais tinham lido *O Capital*, mas muito frequentemente lhe deram uma interpretação "economicista". Não que eles tenham voltado à economia ou à economia burguesa: eles defenderam, com uma engenhosidade digna do melhor objetivo, posições economicistas *no marxismo*, por exemplo, omitindo dizer que a unidade das forças produtivas e das relações de produção davam-se *sob* as relações de produção; por exemplo, dizendo que a economia dependia das relações de produção, mas omitindo insistir sobre o fato de que as relações de produção eram relações de classe, ou que não há classe sem luta de classe etc. Outros, que conhecemos depois, limitaram--se a uma defesa das obras teóricas de Marx *aposentadas*: eles lembram sua existência, se preciso, em artigos, eles as editam e as vendem, não perdem a ocasião de dizer que Marx disse a verdade e o citam longamente, mas como uma *caução*. Quanto ao resto, não menos que seus ancestrais, eles não levantarão nem o mindinho para retificar alguma fórmula de Marx, e se alguém se aventura a fazê-lo, montam guarda. Decerto, eles não correm o risco de "revisar" Marx como Bernstein (outros se encarregam disso: de outro modo), mas não se pode contar com eles para retificar, como o aceitava Lênin, Marx quando ele se engana, quer seus termos sejam equívocos, quer suas fórmulas não sejam as melhores.

Claro, não se trata aqui de indivíduos, ainda que os indivíduos existam, mas de um estado de coisas histórico. Entretanto, o que a história pode explicar, a história pode também desfazê-lo. E nós chegamos sem dúvida a um tempo em que o desenvolvimento da luta de classes (proletária + povos oprimidos) alcançou um nível, sob a crise do imperialismo, que aquilo que não era senão impossível e impensável, ou ao menos difícil, devém agora possível e necessário. Somente o fato de poder pôr publica e abertamente, do seio de um partido comunista, essa questão, e de pô-la propondo elementos (mesmo provisórios, pois "sujeitos à retificação"), prova-o.

Resta saber o que será feito dessa possibilidade doravante aberta.

[O que é um modo de produção?]

Para a teoria da revolução e da passagem ao comunismo, o ponto capital é que *o modo de produção socialista* não existe.[101]

1. Não existe modo de produção socialista.

2. Existe o modo de produção capitalista e o modo de produção comunista.

3. Lênin

a. jamais fala do modo de produção socialista,

b. mas fala do socialismo (que não é um modo de produção), como da transição entre o modo de produção comunista e o modo de produção capitalista.

c. Ele define essa transição, essa "formação econômico-social" socialista, como a coexistência contraditória do modo de produção capitalista e do modo de produção comunista. Portanto, como a coexistência de elementos capitalistas e de elementos comunistas, de elementos do modo de produção comunista e do modo de produção capitalista.

4. Daí a questão: *a partir de quando* é que começa a existir *o comunismo*, entendido como: elementos (ou germes, mas germes que se devem entender como germes capazes de produzir elementos)?[102] Resposta: desde que o modo de produção capitalista existe. Mas essa resposta é muito genérica e abstrata. Contudo,

---

101 LOCKE, G. "Humanisme et lutte de classes dans l'histoire du mouvement communiste". Trad. Y. Blanc. *Dialectiques*, n° 6, 3° trimestre, 1976, p. 14. "Não há modo de produção socialista", tese desenvolvida por Althusser num curso sobre a Crítica da Economia Política na ENS da rue d'Ulm, em junho de 1973. Cf.: DECAILLOT, Maurice. *Le Mode de production socialiste*: essai théorique. Paris: Éditions sociales, 1973.

102 Cf.: pp. 107 e 108. Cf.: LÉNINE, Vladmir I. *Oeuvres*. tome. XX. Paris/Moscou: Éditions sociales/Éditions du Progrès, 1956, p. 16; LÉNINE, Vladmir I.

ela significa (tese defendida por Marx) que o modo de produção capitalista contém em suas próprias contradições os germes do modo de produção comunista desde sua existência. De maneira mais precisa, pode-se dizer que o comunismo existe (começa a existir realmente) desde os primeiros desenvolvimentos da luta de classe operária. Veja o que diz Marx[103] nos *Manuscritos* [de 1844] sobre os operários franceses: a sociedade não é mais um meio, mas uma necessidade. Veja tudo o que diz Marx[104] sobre a decomposição das formas capitalistas da família, da religião etc.

O modo de produção capitalista que nasce sobre e da decomposição dos modos de produção pré-capitalistas (não somente o feudal, mas também outros modos de produção, não somente aí onde não há feudalismo – por exemplo, o modo de produção asiático, ou o modo de produção de linhagem,[105] ou os restos do modo de produção escravagista), decompõe-se ele mesmo desde seu nascimento, por uma razão simples: o antagonismo da relação

---

Oeuvres. tome XXXIII. Paris/Moscou: Éditions sociales/Éditions du Progrès, 1956, p. 502.

103 MARX, Karl. *Les Manuscrits économico-philosophiques*. Trad. F. Fischbach. Paris: Vrin, 2007, p. 184.

104 MARX, Karl. *Les Manuscrits économico-philosophiques*. Trad. F. Fischbach. Paris: Vrin, pp. 144-147, 2007; MARX, Karl. "Ébauche d'une critique de l'économie politique". *In*: ______. *Oeuvres*: économie, 2. tome I. Trad. M. Rubel e J. Malaquais. Paris: Gallimard, 1968, pp. 95/96; MARX, Karl. "Le Manifeste du Parti communiste". *In*: ______. *Oeuvres*: économie, 1. tome I. Trad. M. Rubel e L. Évrard. Paris: Gallimard, 1968, pp. 164, 178 e ss.; MARX, Karl. "Le Capital", Livre I. *In*: ______. *Oeuvres*: économie, 2. tome I. Trad. M. Rubel e J. Malaquais. Paris: Gallimard, 1968, pp. 939 e ss, pp. 994 e ss e 1125, note b.

105 MEILLASSOUX, Claude. *Anthropologie économique des Gouro de Côte d'Ivoire*: de l'économie de subsistance à l'agriculture commerciale. Paris: Mouton, 1964, pp. 168 e ss; TERRAY, Emmanuel. *Le Marxisme devant les sociétés "primitives"*: deux études. Paris: Maspero, 1969, p. 95, note; REY, Pierre-Philippe. *Colonialisme, néocolonialisme et transition au capitalisme*: exemple de la "Comilog" au Congo- Brazzaville. Paris: Maspero, 1971, pp. 31 e ss.

de produção capitalista. Esse antagonismo existe desde a origem, e desde a origem ele produz efeitos de decomposição do fato de seu antagonismo (luta de classes) que afetam as formas de existência do modo de produção capitalista (divisão do trabalho, organização do trabalho, família e outros aparelhos ideológicos de Estado).

É preciso facear a história do capitalismo como um processo contraditório desde seus começos (por causa do caráter antagonista da relação de produção capitalista): de um lado, ele criou suas próprias formas, e, ao mesmo tempo, essas mesmas formas entram em decomposição; de outro, ele *reforçou* suas próprias formas (cf. o tempo que lhe foi preciso para erigir o aparelho ideológico de Estado escolar, ou a democracia burguesa, ou a divisão do trabalho parcial, ou as organizações sindicais destinadas a dividir a classe operária, ou sua hegemonia sobre o mundo pela exploração colonial e neocolonial); mas, ao mesmo tempo, essas mesmas formas *enfraqueceram-se* sob o efeito da luta de classes: a família cai no abandono, a Escola também, a religião também, o aparelho de Estado grimpa-se, e a economia, malgrado os controles desde 1929, corre mais rápido que ele (ela sempre correu mais rápido – mas o paradoxo é que, tendo encontrado, desde 1929, o meio de esquivar-se da crise, o imperialismo engajou-se, evitando as formas especulares e brutais-catastróficas da crise de 1929, numa crise irremediável, pois controlada pelo aparelho financeiro do *soi-disant* capitalismo monopolista de Estado).

5. As formas de aparição de elementos comunistas na própria sociedade capitalista são incontáveis. O próprio Marx enumerou toda uma série, desde as formas da educação-trabalho das crianças[106] até as novas relações que reinam nas organizações proletárias,[107] a

106 MARX, Karl. "Le Capital", Livre I. Trad. J. Roy. Trad. revue par M. Rubel, Postface de la 2ª éd. allemande, *ibid.*, pp. 985-987 e 992/993.

107 MARX, Karl. "Lettre à Feuerbach du 11 août 1844". *In*: ______. *Correspondance.* tome I. Paris: Éditions sociales, 1977, p. 324; MARX, Karl. "Ébauche d'une critique de l'économie politique". *In*: ______. *Correspondance.* tome I. Paris: Éditions sociales, 1977, pp. 98/99; MARX, Karl. "La Sainte

família proletária,[108] a comunidade de vida e de luta proletária,[109] sociedades por ação,[110] as cooperativas operárias[111] etc., sem falar na "socialização da produção",[112] que põe todos os tipos de problemas, mas também deve ser lembrada. Todos esses elementos (multiplicados nestes últimos anos, sobretudo desde 1968 (cf. LIP)[113]

Famille ou Critique de la critique critique". *In*: *Oeuvres*. tome III. Trad. M. Rubel e L. Évrard, p. 479; MARX, Karl. "Misère de la philosophie". *In*: ______. *Oeuvres*: économie, 1. tome I. Paris: Gallimard, 1968, pp. 134-136; MARX, Karl. "Salaire". *In*: ______. *Oeuvres*: économie, 2. tome I. Trad. M. Rubel. Paris: Gallimard, 1968, p. 168.

108 MARX, Karl. "Le Capital", Livre I. *In*: ______. *Oeuvres*: économie, 2. tome I. Trad. M. Rubel e J. Malaquais. Paris: Gallimard, 1968, pp. 994/995.

109 Cf.: p. 104, n. 103.

110 MARX, Karl. "Les luttes de classes en France". Trad. M. Rubel e L. Janover. *In*: ______. *Oeuvres*. tome IV. Paris: Gallimard, 1994, p. 330; MARX, Karl. "Le Capital", Livre III. *In*: ______. *Oeuvres*: économie, 2. tome I. Trad. M. Rubel e J. Malaquais. Paris: Gallimard, 1968, pp. 1175 e ss; MARX, Karl. "Lettre à N. F. Danielson", "Lettres sur l'économie". *In*: ______. *Oeuvres*: économie, 2, tome I. Trad. M. Rubel e J. Malaquais. Paris: Gallimard, 1968, p. 152; MARX, Karl. "Lettre à F. Engels du 2 avril 1858". *In*: ______. *Correspondance*. tome V. Paris: Éditions sociales, 1975, p. 171.

111 MARX, Karl. *La Guerre civile en France, 1871*. Paris: Éditions sociales, 1968, p. 68; MARX, Karl. "Le Capital", Livre III. *In*: ______. *Oeuvres*: économie, 2. tome I. Trad. M. Rubel e J. Malaquais. Paris: Gallimard, 1968, pp. 1148 e 1178/1179; MARX, Karl. "Adresse inaugurale de l'Association internationale des travailleurs". *In*: ______. *Oeuvres choisies*. tome I. Moscou: Éditions du Progrès, 1955, p. 400.

112 MARX, Karl. "Le Capital", Livre I. *In*: ______. *Oeuvres*: économie, 2. tome I. Trad. M. Rubel e J. Malaquais. Paris: Gallimard, 1968, pp. 867 e ss e 1238 e ss; MARX, Karl. "Le Capital", Livre III. *In*: ______. *Oeuvres*: économie, 2. tome I. Trad. M. Rubel e J. Malaquais. Paris: Gallimard, 1968, p. 1044; MARX, Karl. *Un chapitre inédit du Capital Premier Livre*: le procès de production du capital, sixième chapitre. Trad. R. Dangeville. Paris: Union générale d'éditions/10-18, 1971, pp. 199/200.

113 LIP é uma sociedade de relojoaria de Besançon. Em 123 de junho de 1973, para impedir uma multinacional suíça que se tornou majoritária no seio do conselho de administração de proceder com o desmantelamento da empresa e com a demissão de um terço dos efetivos, os assalariados ocupam sua usina e, seis dias depois, decidem retomar a produção em mãos, sob a palavra de ordem: "é possível: a gente fabrica, a gente vende" ["c'est possible: on fabrique,

as invenções proletárias na luta de classes: "eles mostraram que os operários podem viver sem patrão", Séguy)[114] não conduzirão sozinhos ao comunismo. Melhor: eles não são todos comunistas. São elementos para o comunismo. O comunismo os retomará por sua conta, os unirá, os levará a cabo, desenvolverá suas virtualidades, integrando-os à revolução das relações de produção que comanda tudo e que está ainda ausente em nosso mundo. Mas o comunismo não se fará sozinho. É preciso construí-lo, ao termo de uma longa marcha, em que uma etapa se chama socialismo, que não é um modo de produção.

6. Daí a questão: como definir um modo de produção? Na falsa tese de que o socialismo é um modo de produção, há, escondida, a ideia que *toda* formação econômico-social histórica, uma vez que existe, funciona sobre a base de um modo de produção próprio, original, definível.

Essa ideia é completamente falsa.

Em função dessa ideia falsa, dir-se-á que o socialismo é um modo de produção, em que "as" relações de produção são constituídas 1. pela propriedade coletiva dos meios de produção

---

on vend"]. Evacuados à força em meados de agosto, eles reagrupam-se num ginásio, onde mantêm a produção de relógios a fim de vendê-los de maneira ilegal. O presente capítulo do *Livro sobre o imperialismo* é datado de 17-18 de agosto.

114 LA FRANCE À L'HEURE LIP. *L'Humanité*, 16 août 1973, p. 1. "Jamais... les secrétaires généraux des deux centrales syndicales en qui trois ouvriers sur quatre font confiance n'avaient (...) pris la parole côte à côte sur le lieu d'un conflit social. C'est ce que feront ce matin [devant les grévistes de LIP] à Besançon Georges Séguy [secrétaire général de la CGT et membre du Bureau politique du PCF] et Edmond Maire [secrétaire général de la CFDT]" ["Jamais... os secretários gerais das duas centrais sindicais em que três operários a cada quatro confiam tinham (...) tomado a palavra lado a lado no local de um conflito social. É o que farão esta manhã [perante os grevistas de LIP] em Besançon Georges Séguy [secretário geral da CGT e membro do Bureau político do PCF] e Edmond Maire [secretário geral da CFDT]"].

(coletivo = de Estado) e 2. pelo poder de Estado da classe operária. Portanto, por *duas* relações.

Ora, Marx jamais definiu um modo de produção por *duas* relações: por 1. uma relação de propriedade dos meios de produção (tratando da infraestrutura) e 2. uma relação de poder (tratando da superestrutura), mas por *uma só e única relação*, a relação *de produção*, a relação *da produção*, portanto uma relação interna à infraestrutura. E Marx jamais definiu *a* relação de produção como uma *relação de propriedade* (individual ou coletiva) dos meios de produção, mas como uma relação antagônica, portanto dupla, de *detenção e de não detenção* dos meios de produção.

7. A posição de Marx é clara.

a. Não há tantos modos de produção quanto existem formações sociais historicamente existentes.

b. O número de formações sociais que existiram historicamente é extremamente elevado. Ele ultrapassa de muito longe o número de formações sociais das quais temos conhecimento, pelos traços e monumentos que elas deixaram, pois um número considerável de formações sociais que existiram na história desapareceu, e numerosas delas sem deixar nenhuma traço.

c. O número de modos de produção referenciados até aqui é extremamente limitado. A partir de Marx, conhecemos: 1. as diferentes formas da comunidade primitiva (das quais subsistem formas transformadas, como aquele que se pode chamar, por comodidade, de modo de produção de linhagem na África); 2. o modo de produção dito asiático; 3. o modo de produção escravagista; 4. o modo de produção feudal; 5. o modo de produção capitalista; e 6. o modo de produção comunista, o qual não existe ainda em nenhuma parte do mundo, mas do qual temos seríssimas razões para pensar que ele existirá um dia.

8. A contradição é flagrante entre o número extremamente elevado de formações sociais que existiram ou que existem e o

número extremamente limitado de modos de produção reconhecidos como tais por Marx.

Não basta, pois, que uma formação social exista para que lhe corresponda automaticamente um modo de produção próprio. Pode ser o caso: uma formação social capitalista realiza um modo de produção próprio, o modo de produção capitalista. Pode não ser o caso: a uma formação social socialista não corresponde um modo de produção que se chamará de socialista.

A razão é simples: uma formação social pode estar "entre duas cadeiras", "em transição" entre dois modos de produção, sem ter um modo de produção próprio e exclusivo, de alguma maneira pessoal. Ela pode participar de dois modos de produção, aquele que ela está largando e aquele que está construindo. Quando você viaja de Paris a Marseille, durante todo o tempo de viagem, você não está residindo numa cidade que se chamaria Le Mistral. Le Mistral é justamente um trem que transporta você de Paris a Marseille. Le Mistral tem um nome muito apropriado, ele sopra como o vento, e o vento jamais foi uma cidade, nem residiu numa cidade.[115]

Aliás, é preciso ir mais longe. Toda formação social, qualquer que seja, está em trânsito ou em transição ou em viagem na história. Mesmo uma formação social capitalista está em transição, mesmo uma formação social que possui verdadeiramente seu modo de produção próprio, pessoal, autentificado, identificado, garantido, "bom para ela", como uma formação social capitalista. Ela vem (para nós, Europa ocidental) do feudalismo e traz ainda nela sagrados elementos do modo de produção feudal (a renda fundiária, os pequenos produtores "independentes!" – camponeses sobretudo, mas também artesãos, as gentes da "produção mercante", como se diz) e já, como visto, elementos do comunismo.

---

115 N.T.: *Le Mistral* é o nome do trem expresso homônimo do vento catabático Mistral.

Mas não é preciso exagerar no trânsito e na transição. Pois, no caso de uma sociedade capitalista, é sempre o mesmo o *seu* modo de produção que é dominante – o modo de produção capitalista! – e é por isso, é por causa dessa dominância, que se pode dizer que uma formação social capitalista realiza o modo de produção capitalista. Mesmo sabendo que ela o realiza ao preço de arrastar consigo elementos do modo de produção feudal e de secretar consigo elementos do futuro modo de produção comunista, o fato é: ela é dominada pelo modo de produção capitalista, e é ao modo de produção capitalista que é preciso recorrer para compreender o que se passa nela.

9. Mas, então, a questão retorna: *o que é um modo de produção*? Como defini-lo a fim de evitar cair na pluralidade dos modos de produção fictícios que corresponderiam a cada formação social? Qual critério objetivo fornecer que permita, ao mesmo tempo, definir os modos de produção realmente existentes e interditar a fabricação de modos de produção imaginários?

Examinemos as teses clássicas.

Há muitas definições em Marx (nenhuma definição sobrepõe-se, por si, mas no uso dos termos podemos discerni-las). Marx jamais deu uma verdadeira definição refletida, condensada, do modo de produção. Mas ele serviu-se frequentemente do termo em contextos dignos de definição.

Não é espantoso que ele tenha buscado e vasculhado, sendo dada a extraordinária novidade do que ele dizia; não é espantoso que ele não tenha sentido a necessidade de fixar seu pensamento numa definição (não que ele não gostasse delas, como pretende Engels,[116] pois se Marx não gostasse das definições, eu gostaria muito de ser enforcado depois de ter lido a Seção I do Livro I [de

---

116 MARX, Karl. *Le Capital*, Livre III. Trad. G. Badia e C. Cohen-Solal. Paris: Éditions sociales, 1976, p. 17.

O Capital],[117] ou que lhe tivesse custado. O fato é: Marx não deu uma definição clara, mas se serviu do termo em muitíssimos contextos valendo como definição. *Definições*, pois ele propõe muitas.

Se quisermos recolhê-las, elas resumem-se em duas:

a. O modo de produção é *a maneira* de produzir, em sentido técnico, o que remete ao *processo de trabalho*, no qual a produção é considerada abstratamente, como operando o objeto do trabalho, os meios de trabalhos, os agentes de trabalho. Abstratamente, isto é, abstração feita das relações de produção. Quando se faz abstração das relações de produção (quando se considera a produção somente como processo de trabalho), o que resta? As forças produtivas. Temos, então, uma concepção "abstrata" do modo de produção (= técnica, economicista etc.). Atenção! Como Marx não se contenta com essa "definição", da qual ele precisa para pensar o processo de trabalho (e não podemos nos dispensar de pensar o processo de trabalho), como Marx dá essa definição, mas que ele a completa pela seguinte, Marx não cai um instante sequer no tecnicismo e no economicismo. Que isso fique bem claro.[118]

b. O modo de produção é *a maneira* de produzir, no sentido social, o que remete não mais ao processo de trabalho (operação das forças produtivas), mas *ao conjunto do processo de produção e de reprodução*. A "maneira" de produzir não tem mais nada a ver com a maneira *de agenciar* os diferentes elementos das forças produtivas no *processo de trabalho*: ela tem tudo a ver com a maneira de distribuir os meios de produção e os agentes da produção (força de trabalho) e da reprodução no processo de conjunto da produção e da reprodução. O que define, então, o modo de produção não é

---

117 Cf.: ALTHUSSER, Louis. "Chronologie et avertissement aux lecteurs du livre I du Capital". *In*: MARX, Karl. *Le Capital*, Livre I. Trad. J. Roy. Paris: Garnier-Flammarion, 1969, p. 19.

118 Cf.: ALTHUSSER, Louis. "Le courant souterrain de matérialisme de la rencontre" (1982-1983). *In*: ______. *Écrits philosophiques et politiques*. Ed. François Matheron, tome I. Paris: Stock/Imec, 1994, pp. 570-576.

mais somente as forças produtivas, mas a unidade das forças produtivas e das relações de produção *sob* as relações de produção.[119]

Essa primeira definição chocará, como deveria, sensibilidades delicadas. Pois ela põe em primeiro plano as relações de produção, enquanto muitos marxistas, e mesmo comunistas, consideram, como "bons materialistas", que é preciso pôr em primeiro plano as forças produtivas. E é bem verdade que os primeiros homens só conquistaram – depois de milênios, milhões de anos – o direito ao que chamamos de história com a condição de estabelecerem suas relações com a natureza, produzindo ferramentas, inventando a criação de animais e a agricultura, o ferro e o bronze etc. Não estamos tão avançados para saber qual foi o motor do desenvolvimento dessas forças produtivas rudimentares, então elementares. Mas, para as sociedades das quais fala Marx, não há equívoco. A determinação materialista que Marx invoca não foi jamais (salvo na imaginação interessada de todos os marxistas economicistas) aquela das forças produtivas, mas aquela da "base", da infraestrutura, isto é, da unidade das forças produtivas e das relações de produção (no fim da Introdução à [*Contribuição*],[120] Marx diz que é preciso tomar muito cuidado para pensar, ao mesmo tempo, a unidade e a distinção de ambas, mas é a unidade a mais importante). E essa unidade material, determinante em última instância, Marx sempre a concebeu praticamente como a unidade das forças produtivas e das relações de produção *sob* as relações de produção. Melhor dizendo: primado das relações de produção sobre a unidade das forças produtivas/relações de produção. O que equivale à tese do *Manifesto* (abrevio), segundo a qual é a luta de classes que é o motor da história (e Engels acrescenta uma nota:

---

119 Cf.: ALTHUSSER, Louis. "La reproduction des rapports de production, appendice: du primat des rapports de production sur les forces productives" (1969). *In*: ______. *Sur la reproduction*. Ed. J. Bidet. 2ª ed. Paris: PUF, 2011, pp. 240-248.

120 MARX, Karl. "Introduction générale a 'Contribution à la critique de l'économie politique'". *In*: ______. *Oeuvres*: économie, 1. Trad. M. Rubel e L. Évrard. Paris: Gallimard, 1963, pp. 264 e ss.

desde que as classes existam, o que nos remete à nossa questão sobre os inícios da "civilização" humana).[121]

Pode-se avançar?

Se sim, a questão torna-se: *o que são* (numa sociedade de classe e, por extensão, na sociedade sem classes, a favor da qual combatemos, e também nas sociedades sem classes que conhecemos em algumas regiões do mundo) as *relações de produção*?

Falemos somente das sociedades de classe por enquanto. Do contrário, nossas definições tornar-se-iam extremamente complicadas.

As relações de produção são, segundo a fórmula bem (infelizmente até demais) conhecida do Prefácio à *Contribuição à crítica da economia política* (1859), de Marx,[122] "relações determinadas, necessárias, independentes de sua vontade", nas quais "os homens entram" (*eingehen*) à ocasião da "produção social de sua existência".

Não vou discutir essa fórmula (e sua tradução!),[123] que tem seus méritos, mas que tem o erro de restar suspensa, como a única

121 MARX, Karl; ENGELS, Friedrich. "Le Manifeste du Parti communiste". *In*: ______. *Oeuvres*: économie, 1. tome I Trad. M. Rubel e L. Évrard. Paris: Gallimard, 1968, pp. 171 e 1574, n. 3. Cf.: MARX, Karl; ENGELS, Friedrich. "Lettre circulaire [du 17-18 septembre 1879] à A. Bebel, W. Liebknecht, W. Bracke et autres". Disponível em: https://www.marxists.org/francais/marx/works/1879/09/kmfe18711123.htm. Acessado em: 07.03.2022. "Por quase quarenta anos, trouxemos à tona a luta de classe como a força motriz direta [*Triebkraft*] da história (...)".

122 MARX, Karl. "Avant-propos". *In*: ______. *Contribution à la critique de l'économie politique*. Trad. M. Rubel e L. Évrard. Paris: Gallimard, 1859, p. 272. "Les hommes nouent des rapports déterminés...". Althusser cita a tradução de Maurice Husson e de Gilbert Badia (Paris: Éditions sociales, 1972).

123 Althusser traduz boa parte do "Avant-propos", de 1859, em "Marx dans ses limites" (1978-1980). *In*: ______. *Écrits philosophiques et politiques*. tome I. Ed. François Matheron. Paris: Stock/Imec, 1994, pp. 409-412. "Les hommes entrent dans des rapports déterminés" ["Os homens entram em

fórmula pensada que Marx nos deu, no céu de nossas referências teóricas. Vou ao fato: ao que podemos dizer, após termos lido *O Capital* e Lênin.

Efetivamente, as relações de produção estabelecem-se à ocasião da produção, a qual é social – mas também da reprodução. Melhor, elas não se estabelecem à ocasião da produção. Elas estabelecem-se "na" produção. O que quer dizer "elas *estabelecem-se*?" A palavra tem justeza: elas estabelecem-se sozinhas, sem pedir a opinião de ninguém, por uma necessidade que tem *alguma coisa* a ver com o que Marx chama de "correspondência com o nível de desenvolvimento das forças produtivas",[124] mas que nada tem a ver com o funcionalismo mecanicista que acarreta esse infeliz conceito de "correspondência", nem com a pseudoevidência do "nível de desenvolvimento das forças produtivas" (do contrário, as forças produtivas dos EUA sendo superiores àquelas da URSS, e sua produtividade seis vezes superior, pergunta-se por que as relações de produção nos EUA perderam sua "correspondência", a menos que os EUA estejam sub-repticiamente "pondo as bases do comunismo" sem ter passado pelo socialismo, o que seria bem à maneira do "senso prático americano" do qual Lênin fazia tanto caso).

Não somente as relações de produção estabelecem-se *na* produção: mas como elas a governam, seria preciso antes dizer que a produção e a reprodução são *nas* relações de produção! Essas pequenas palavras ("em") são sempre, quando não as controlamos, infelizes. Digamos, pois, para retomar nossa fórmula inicial, que as relações de produção são o elemento *determinante* do conjunto do processo de produção e de reprodução (uma vez

---

relações determinadas"] torna-se, conforme ao que ele propõe logo abaixo, "les hommes sont partie prenante dans des rapports déterminés" ["os homens são parte ativa em relações determinadas"] (p. 441).

124 MARX, Karl. "Avant-propos". *In*: ______. *Contribution à la critique de l'économie politique*. Trad. M. Rubel e L. Évrard. Paris: Gallimard, 1859, p. 272.

que toda produção-reprodução social implica *a unidade* das forças produtivas/relações de produção *sob* as relações de produção).

A questão retorna: o que são as relações de produção? Diz-se (sempre a mesma cantilena): "relações de produção nas quais os homens entram"... Não, eles não entram aí, como se entra num restaurante ou num partido. Os homens são *pegos* aí, e eles são pegos aí como *partes ativas*,[125] mas não sobre o mesmo plano. Eles somente são partes ativas porque, primeiramente (o que quer dizer "fundamentalmente": o que não é uma questão de tempo), *eles aí são pegos, eles são obrigados a estar aí.* Primeiro ponto. "Os homens"? Você e eu, e Iberê e Ubirajara e Yara?

Aqui, é preciso fazer uma pequena pausa, e perguntar-se: mas *pelo que* eles estão obrigados a estar aí? Quando você é obrigado a estar aí, é sempre por uma razão: no serviço militar, por causa da lei e dos gendarmes, na mesa de cirurgia, por causa do apendicite. Mas aqui? Então, "os homens" são obrigados a estar aí (o que supõe, Marx o diz, que não é questão de vontade, de liberdade, de contrato, de "projeto" etc.) com relação, se posso dizer, aos meios de produção. As relações de produção têm isto aqui de particular: 1. que não são relações entre os homens *sozinhos*, mas, como não poucas das relações conhecidas entre os homens, relações entre os homens a propósito de coisas, coisas estas que se chamam meios de produção, precisamente: relações entre os homens a propósito de

125 N.T.: "Être partie prenante", em francês, é "participar ativamente num empreendimento, num projeto", daí sua versão por "parte ativa". Todavia, é preciso assinalar o particípio presente de *prendre* qualificando (adjetivo)/ modificando(advérbio) *part* no contexto em jogo: "Os homens são *pegos* aí, e eles são pegos aí como *partes ativas*, mas não sobre o mesmo plano" ["Les hommes y sont *pris*, et ils y sont pris en tant que *parties prenantes*, mais pas sur le même plan"]. O deslocamento de sentido vai do particípio passado, "eles são pegos aí" [*ils y sont pris*], ao particípio presente, "eles são pegos aí como *partes pegantes*", (*lit.*) denotando uma passagem do sentido passivo e passado ao ativo e presente, pela semântica, impossível de verter mantendo a morfologia. Todas as ocorrências de "parte(s) ativa(s)" vertem *partie(s) prenante(s)*, exceto uma que será devidamente assinalada.

relações desses homens com essas coisas (os meios de produção); e 2. como são relações entre os homens a propósito dessas coisas, que são os meios de produção, não são relações entre os homens nem entre homens. Veremos.

Relações entre os homens a propósito dos meios de produção. Mas não quais quer relações! E muito preciso, rigoroso, implacável, esse pequeno mundo. Eis aí. Há os meios de produção (existentes num tempo T). Há os homens. Então, entre os homens, há duas categorias (duas classes): aqueles que detêm os meios de produção, e os outros, que não detêm nada, ou que só detêm sua força de trabalho. Situação do modo de produção capitalista.

Entretanto, se se quiser considerar não somente o modo de produção capitalista, mas também o modo de produção feudal, o modo de produção asiático e o modo de produção escravagista, é preciso ir mais longe.

10. Nesse caso, retomando uma pequena frase fulgurante de Marx no Livro III, que diz sobre o Estado que "todo seu mistério reside *na* relação existente entre os trabalhadores imediatos e os meios de produção",[126] diremos mais ou menos isso aqui: as

---

126 MARX, Karl. *Le Capital*, Livre III. Trad. G. Badia e C. Cohen-Solal. Paris: Éditions sociales, 1976, p. 1400: "C'est toujours dans les rapports immédiats [das unmittelbare Verhältnis] entre les maîtres des conditions de production et les producteurs directs qu'il faut chercher le secret intime, le fondement caché de toute la structure sociale (...)" ["É sempre nas relações imediatas [das unmittelbare Verhältnis] entre os donos das condições de produção e os produtores diretos que é preciso buscar o segredo íntimo, o fundamento oculto de toda a estrutura social (...)"] . A tradução de G. Badia e C. Cohen-Solal (*Le Capital*, Livre III. Trad. G. Badia e C. Cohen-Solal. Paris: Éditions sociales, 1976, p. 717) é a mais próxima do original: "C'est toujours dans le rapport immédiat entre le propriétaire des moyens de production et le producteur direct (...) qu'il faut chercher le secret le plus profond, le fondement caché de tout l'édifice social (...)" ["É sempre na relação imediata entre o proprietário dos meios de produção e o produtor direto (...) que é preciso buscar o segredo mais profundo, o fundamento oculto de todo o edifício social (...)"]. Marx fala das "relações de produção" [*Produktionsverhältnisse*] na primeira frase que precede aquela citada por Althusser."

relações de produção são definidas pela relação existente entre, *por um lado*, os trabalhadores imediatos (aqueles que produzem efetivamente, os agentes imediatos do processo de trabalho, aqueles abaixo dos quais não há ninguém, aqueles que "põem a mão na massa" e que "transformam a matéria"), e, *por outro*:

I. { os meios de produção / a força de trabalho } que fazem as forças produtivas

II. o produto,

portanto, a relação entre os trabalhadores imediatos de um lado, as forças produtivas e o produto, de outro.[127]

É necessário introduzir essa distinção no "outro lado" para dar conta dos modos de produção conhecidos de outro.

Assim, *no modo de produção capitalista*, sabe-se que os trabalhadores imediatos não detêm os meios de produção, mas se crê que eles detêm sua força de trabalho, uma vez que eles a cedem aos detentores dos meios de produção, os capitalistas, em troca do salário. Mas Marx mostrou o suficiente que essa troca jurídica, sancionada por um contrato livremente consentido, como todo contrato, pelas partes interessadas,[128] portanto, também os trabalhadores, era uma enganação. Os assalariados do capital não detêm, como classe, sua força de trabalho: ela pertence antecipadamente ao capital, que a reproduz a fim de explorá-la numa escala ampliada (é a lei da população própria ao modo de produção

127 TI - FP {MP / FT

128 N.T.: Nesse caso, versou-se *parties prenantes* por "partes interessadas" pelo contexto jurídico do contrato.

capitalista, uma das descobertas de Marx). Não detendo nem os meios de produção, nem sua força de trabalho, os produtores imediatos não detêm o produto da produção da qual eles são agentes.

Todavia, como a forma da não detenção da força de trabalho é, em regime capitalista, o contrato da venda da força de trabalho e como essa forma de não detenção diferencia-se doutras formas que vamos ver, é justo dizer que a relação de produção capitalista é a relação salarial = relação de não detenção dos meios de produção e da força de trabalho = relação de separação da força de trabalho dos meios de produção etc.

No modo de produção feudal, passa-se de maneira semelhante, mas com diferenças. O servo detém seus meios de produção (ele aparece assim como "pequeno produtor independente": essa categoria é típica do modo de produção feudal e vale tanto para o servo quanto para o artesão das cidades), mas essa detenção é a forma sob a qual aparece a não detenção. O servo, considerando apenas ele, não detém nem seus meios de produção (propriedade eminente do senhor, como diz o direito feudal), nem sua força de trabalho (o senhor consente que ele a empregue para produzir do que sobreviver e se reproduzir), mas 1. o senhor cobra tributos sobre os produtos e 2. emprega a força de trabalho para si, sobre seus campos, os quais o servo cultiva a troco de nada, e para as corveias (outra questão, que deixaremos de lado).

Nessas condições, o servo não detém o produto: ele conserva dele somente o que o senhor lhe deixa. Deve-se notar, todavia, que a força de trabalho faz parte dos meios de produção, dito doutra maneira, que as forças produtivas são fixadas obrigatoriamente sobre os frutos da terra (o servo não pode deixar a terra à qual ele "pertence", é detido pelos meios de produção que são aparentemente os seus). Forma de não detenção e, pois, de dependência, que difere da não detenção capitalista na medida em que não há contrato de trabalho nem salário: o contrato de trabalho e o salário sendo somente inteligíveis sobre a base de uma economia em que as relações mercantis tornaram-se dominantes, o que não é o caso do modo de produção feudal.

A relação de produção do modo de produção feudal é, pois, caracterizada como se segue: não detenção dos meios de produção e da força de trabalho pelos produtores imediatos sob a forma da aparente detenção dos meios de produção (pequeno produtor independente), com a não detenção da força de trabalho e do produto.

Para o modo de produção escravagista, o que impressiona é a não detenção radical da força de trabalho. O escravo é comprado e vendido e reproduzido como gado. Não detenção dos meios de produção e do produto. O escravo, quando o modo de produção escravagista conhece um maior desenvolvimento de relações mercantis, pode, então, ser o objeto de transações comerciais: ele tem um preço. Mas as relações mercantis lhe passam, por assim dizer, por cima da cabeça, como elas passam por cima da cabeça do modo de produção escravagista. Não é preciso criar ilusões sobre a existência de relações mercantis nos modos de produção pré-capitalistas: elas estão sempre, "como os deuses de Epicuro", nos buracos (ou na superfície) da sociedade, como diz Marx,[129] elas não penetram na infraestrutura, elas não afetam a relação de produção. O escravo bem pode ter um preço, comprar-se e vender-se no mercado de escravos; a relação de produção do modo de produção escravagista não é uma relação mercantil como a relação de produção do modo de produção capitalista.

No que concerne ao modo de produção asiático (que Marx[130] creu indispensável *identificar* e chamar a atenção), ainda que as pesquisas em curso não tenham dado resultados absolutamente definitivos, parece que podemos dizer isto aqui.

No modo de produção asiático, os trabalhadores diretos trabalham sob a forma comunitária. Eles detêm seus meios de

---

129 MARX, Karl. "Le Capital", Livre I. *In*: ______. *Oeuvres*: économie, 2. tome I. Trad. M. Rubel e J. Malaquais. Paris: Gallimard, 1968, p. 614; MARX, Karkl. "Le Capital", Livre III. *In*: ______. *Oeuvres*: économie, 2. tome I. Trad. M. Rubel e J. Malaquais. Paris: Gallimard, 1968, p. 1098.

130 Cf.: MARX, Karl. *Sur les sociétés précapitalistes*: textes choisis de Marx, Engels, Lénine. Paris: Éditions sociales, 1970.

produção e sua força de trabalho, mas não seu produto, que lhes é, em grande parte, cobrado pela casta que administra o Estado e leva a cabo os grandes trabalhos ou conduz as guerras etc.

É para dar conta de maneira homogênea desses diferentes casos identificados por Marx (os diferentes modos de produção conhecidos) que fizemos intervir o duplo quadro seguinte:

meios de produção

as forças produtivas

os trabalhadores imediatos

força de trabalho

produto

Se tivéssemos deixado de lado o caso do modo de produção asiático, teríamos podido não mencionar o produto e *fazer operar somente as forças produtivas.*

É talvez preferível fazê-lo, pois não sabemos com clareza se devemos considerar o modo de produção asiático como modo de produção de sociedades de classes.

Se deixamos o modo de produção asiático de lado, temos:

1. Modo de produção escravagista: a relação de produção do modo de produção escravagista é a *não detenção absoluta* de sua força de trabalho pelos trabalhadores imediatos. Disso se segue a não detenção absoluta dos meios de produção e a não detenção absoluta do produto.

Essa condição de exploração define uma classe: aquela dos escravos. Ela define uma outra classe: aquela dos detentores de escravos, detentores que detêm, ao mesmo tempo, a força de trabalho dos trabalhadores imediatos, os meios de produção e o produto. Essas duas classes são antagonistas.

2. Modo de produção feudal: a relação de produção do modo de produção feudal é a *não detenção relativa de sua força de trabalho* pelos trabalhadores imediatos *numa forma não mercante*, mas "natural" (*soi-disant* como tal), adjunta à *não detenção relativa dos meios de produção* pelos produtores imediatos, sempre sob uma forma dita "natural", isto é, não mercante. Disso se segue a não detenção relativa do produto.

Essa condição de exploração define uma classe: aquela dos servos (os artesãos são, como Marx o mostrou, construídos sobre o mesmo modelo: as relações mercantis aí são não determinantes *à la belle époque*). Ela define, ao mesmo tempo, uma outra classe: aquela dos mestres e senhores dos servos, os quais detêm relativamente sua força de trabalho e eminentemente seus meios de produção e pagam sobre o produto dos serviços que eles lhes prestam, ao que parece (protegendo-os das invasões de outros senhores, os quais só invadem as terras dos pobres camponeses porque são senhores havendo-se com senhores e seus servos, portanto, para aumentar suas rendas; esse interbanditismo sendo batizado de proteção dos pobres camponeses por aqueles que os exploram e, defendendo-os contra senhores concorrentes, somente defendem seu próprio gado humano de exploração), desviando o grosso do produto para seu benefício. Essas classes são antagonistas.

3. *Modo de produção capitalista*: a relação de produção do modo de produção capitalista é a não detenção absoluta pelos produtores imediatos dos meios de produção e a não detenção relativa de sua força de trabalho. Essa *não detenção relativa da força de trabalho toma a forma de uma relação mercantil, o salário.*

Essa condição define uma classe: aquela dos proletários. Ela define, ao mesmo tempo, uma outra classe: aquela dos capitalistas. Essas duas classes são antagonistas.

Ao termo dessa rápida análise, podemos dizer isto aqui:

1. Fizemos desaparecer, durante o trajeto, e talvez mesmo sem nos apercebermos, a expressão inicial, aquela de Marx na

Contribuição (e, decerto, anteriormente em *A Ideologia alemã*, em *Miséria da filosofia* etc.) e mesmo na maioria dos textos de *O Capital*: *as* relações de produção. E nós a substituímos por outra expressão: *a* relação de produção.

Por que essa substituição? Pois, com a experiência, descobriu-se que não precisávamos do plural, mas que o singular bastava perfeitamente.

A titulo de verificação, é preciso saber que o próprio Marx, no capítulo inédito de *O Capital* que foi recentemente traduzido, *emprega o singular*.[131] Aparentemente, fizemos a mesma experiência que ele.

É uma questão de detalhe? Sim e não. Sim, pois o plural pode prestar serviços quando se é obrigado a mostrar a diversidade de efeitos da relação de produção de um modo de produção, tanto mais quando, por um lado, os efeitos da relação de produção de um modo de produção consistem em *outras relações*, as quais não são, decerto, a relação de *produção* (elas podem ser relações de circulação, de distribuição, de troca, políticas, ideológicas, jurídicas etc.), mas que são de igual sorte *relações*.

Mas basta dizer isso para ver de súbito em qual confusão a expressão de relações de produção *no plural* pode lançar o leitor. Pois se essas outras relações, dependendo da relação de produção, são relações, elas não são relações de produção! E ao crer que elas são relações de produção, podemos tombar em muito graves erros. Pode-se, por exemplo, crer que as relações de produção são relações *de propriedade*, isto é, relações *jurídicas*. Ora, as relações jurídicas, em particular as relações de *propriedade*, não são relações de produção. Sobre isso, malgrado todas as toleimas acumuladas, é preciso reestabelecer a verdade dos textos de Marx. Marx jamais

---

131 MARX, Karl. *Un chapitre inédit du Capital Premier Livre*: le procès de production du capital, sixième chapitre. Trad. R. Dangeville. Paris: Union générale d'éditions/10-18, 1971, pp. 198, 204 e 257-265.

disse que as relações de produção fossem relações de propriedade no sentido jurídico do termo "propriedade". Mesmo se lhe ocorreu deixar a palavra, há lugares onde ele suficientemente precisou seu pensamento para que nenhum equívoco seja possível. É assim que, ao ler o texto de perto, desde a *Contribuição*, Marx distinguia o *Besitz*, a detenção de fato, do *Eigentum* (a propriedade de direito). É claro que, *desde a Contribuição* (texto, aliás, ainda à procura de seu equilíbrio teórico), Marx considera que a relação de produção capitalista tem a ver com o *Besitz* (a detenção e a não detenção de fato), e não com o *Eigentum* (a propriedade em título, jurídico, de direito).

Outro contraexemplo (eu poderia citar muitos, limitar-me--ei). Falar de relações de produção *no plural* e, além disto, falar de relações *sociais* de produção (como se existissem relações não sociais na matéria da qual trata Marx!), é dar-se um plural que oferece, a despeito disso, sacras comodidades. Uma vez que se anunciou a cor e proclamou-se com grandes trombetas esse plural solene e programático, nada mais simples que nutri-lo: ora introduzindo nas relações de produção (sociais, por favor) tudo o que caia na sua mão, ora tendo a impressão certa de que, o que quer que advenha, se está em vantagem. Por exemplo, é em nome dessa maravilhosa solução simplória que nos dispensaremos de conhecer pessoalmente *as outras relações*, aquelas que não são de produção, as relações de circulação, as relações de distribuição, as relações de consumo (Eis! Em nossa boa "sociedade de consumo!" Quem, dentre nossos bons marxistas, dá-se conta de que existiriam relações de consumo? E que elas não seriam as mesmas segundo os diferentes modos de produção?), as relações jurídicas (Eis! Como dá-se que a teoria do Direito tenha sido abandonada entre os marxistas desde o desafortunado Pachukanis,[132] a quem não basta, sem dúvida, estar morto, como sabemos, visto que comunistas vêm cuspir sobre sua tumba em nome da ideia que eles

132 PASUKANIS, Evgenij. *La Théorie générale du droit et le marxisme*. Trad. J.-M. Brohm. Paris: Études et documentation internationales, 1970.

fazem da teoria marxista do direito, mais precisamente em nome da segurança que precisam se dar que ela já foi feita, ou que ela não tem de existir, ou que ela entra nas... relações de produção!),[133] as relações políticas, as relações ideológicas (Eis! Como dá-se que a teoria da superestrutura tenha sido deixada em pane desde ilustres, ao ponto que tudo o que Gramsci disse, ele que disso se ocupou, restou, contudo, quase letra morta?). Não insisto. A fórmula "*as* relações de produção" abrigou sob seu plural não somente graves contrassensos (a ideia de que as relações de produção eram relações de propriedade, jurídicas), mas também – como dizer para não ressentir ninguém? – todas as cumplicidades indolentes da inteligência marxista do mundo.

Daí o interesse do singular. *A* relação de produção.

2. Segunda observação. É claro, a partir do que foi dito dos trabalhadores imediatos e de sua relação com as forças produtivas (meios de produção, força de trabalho), que tudo se dá inteiramente, exclusivamente na infraestrutura, melhor, nesta parte da infraestrutura que é a *produção*. (Seria preciso lembrar que a infraestrutura comporta também a circulação, a troca, a distribuição e o consumo?).

Razão a mais para nos atermos ao nosso singular. Pois nossos bons amigos "pluralistas" não se perguntarão melhor do que nos explicarão que "as" relações de produção, isso é complexo, e, sob a cobertura desse adjetivo de contrabando, eles nos farão a muamba de tudo o que lhes convém, para "estofar" um pouco essas magras relações de produção, cevá-las de relações de circulação e de troca, de relações monetárias, de relações jurídicas, isto é, de relações políticas e ideológicas que eles têm na cabeça: essas últimas relações sem nenhuma relação com a realidade!

---

133 Cf.: ALTHUSSER, Louis. "La reproduction des rapports de production, appendice: du primat des rapports de production sur les forces productives" (1969). *Sur la reproduction*. Ed. J. Bidet. 2ª ed. Paris: PUF, 2011, pp. 197 e ss.

Conclusão: não cederemos a esse singular. Ponto de não retorno, pois ponto de ancoragem do materialismo de Marx e também ponto de ancoragem da luta de classes.

3. Com efeito, já o vimos, cada relação de produção em cada modo de produção define duas classes, e duas classes antagonistas. Aqui, podemos, enfim, acertar as contas com a famosa questão sobre os "homens".

Conhecemos a música. As relações de produção são "relações entre homens". Como aconteceu quando alguém lembrou (em 1965):[134] 1. que essas relações entre os homens não eram relações humanas; 2. não eram "intersujetivas"; 3. não eram senão relações entre homens, uma vez que estavam em jogo coisas, os meios de produção; 4. eram, pois, antes de tudo, relações etc., dizemos agora (Lucien Sève)[135] que, mesmo não sendo relações inter-humanas, não deixam de ser relações entre os homens. OK. A música continua.

E conhecemos a música de Marx: "na produção social de sua existência, os homens entram (*eingehen*) (diz a tradução das *Éditions sociales*) em [*sic*] relações necessárias...". Se os homens "entram em [*sic*] relações", é preciso crer que eles estavam primeiramente fora, homens, pois, como você e eu, que, num belo dia, decidiram entrar. Livremente? Não necessariamente. Eles podem estar aí coagidos. Mas quando se está coagido, não se é menos humano.

A verdade de Marx (deixo de lado a interpretação da famosa frase da *Contribuição*) é esta aqui. As relações de produção não são relações entre homens, ou entre os homens, mas relações entre classes. Ou, para nos atermos ao nosso singular, decisivo também

---

134 ALTHUSSER, Louis. *Pour Marx*. Paris: Maspero, 1965, pp. 254/255; ALTHUSSER, Louis. "L'objet du Capital (1965)". *In*: ALTHUSSER, Louis; BALIBAR, Étinne; ESTABLET, Roger; MACHEREY, Pierre; RANCIÈRE, Jacques. *Lire Le Capital*. Paris: PUF, 1996, p. 339.

135 SÉVE, Lucien. *Marxisme et théorie de la personnalité*. 2ª ed. Paris: Éditions sociales, 1972, p. 97, note. Essa nota apresenta uma crítica das teses althusserianas sobre o "anti-humanismo teórico" de Marx.

nessa matéria, *a* relação de produção não é uma relação (você vê como o plural age aqui também? Os homens estão no plural, não é? O que há de mais natural senão pôr, para que se corresponda, as relações de produção no plural?) entre os homens, ou entre homens, que existiriam antes dela: é uma *relação entre classes*, definidas e constituídas pela própria relação de produção. Pois, com relação aos homens, as classes têm ao menos essa vantagem de não deixarem subsistir nenhuma dúvida sobre o fato de que elas não existem antes da relação de produção.

Se não se sabe disso, é preciso reler Marx, pois isso quer dizer que não se compreende uma das coisas mais importantes que ele nos tinha dado. Pois, enfim, a ideia de que as classes sociais são compostas de homens, que as relações de produção são relações entre os homens etc., não é nada mais nada menos que o retorno da ideologia burguesa clássica (da qual Marx[136] disse que Locke era o primeiro grande teórico, o mestre de toda a economia política) *no marxismo.*[137] É a maneira pela qual a ideologia burguesa se representa as classes sociais e a luta de classes.

Lembre-se: o próprio Marx[138] disse, solenemente, que não foi ele, mas os burgueses quem tinham descoberto as classes sociais e a luta de classes. Antes da teoria marxista das classes, havia (e sempre há, e ela é *dominante* e pesa terrivelmente sobre os próprios comunistas) uma teoria *burguesa* das classes e da luta de classes. É essa teoria burguesa das classes que quer que as classes sejam compostas de homens, que os homens "*entram* em relações de produção" e delas saem, passados pelo moedor delas sob a forma de classes. Primeiro os homens, depois as relações

---

136 MARX, Karl. *Théories sur la plus-value*. Trad. Gilbert Badia. tome I. Paris: Éditions sociales, 1974, p. 429.

137 Primeira redação: "o retorno da ideologia burguesa clássica, definida por Locke, *no marxismo*".

138 MARX, Karl. "Lettre à J. Weydemeyer du 5 mars 1852". *In*: MARX, Karl; ENGELS, Friedrich. *Correspondance*. tome III. Paris: Éditions sociales, 1972, p. 79.

de produção, depois as classes, depois a luta de classes. Essa é a concepção, a teoria burguesa das classes e das (os burgueses são a favor do plural!) *relações sociais*. Quando os teóricos burgueses, perseguidos até o rabo pelos pequenos conflitos que opuseram entre si as duas classes exploradoras em rivalidade, a feudal e a burguesa, impulsionam a audácia teórica até o reconhecimento das classes e da luta de classes, é assim que isso se passa. Primeiro os homens, olha aí! *Depois* as relações sociais entre os homens (é toda a história da teoria da sociedade humana pela filosofia do direito natural), *depois* as classes sociais (nascidas da violação da moral e do direito, ou da sede por ouro, etc. – uma perversão, mas o que fazer com isto?), *depois* o fim de tudo, a luta de classes.

É preciso saber que, sob uma variante ou outra, essa velha canção não cessa de nos ser cantada e, quando está em silêncio, é ainda ela que ressona em nossos ouvidos. Fomos criados dentro, e ela nos toma nas tripas, como todos os temas da ideologia burguesa, e Marx deveu dela se desprender radicalmente para ser Marx. Sabemo-lo o bastante: que isso continua e que inúmeros marxistas não se dão conta de que eles salmodiam mesmo as fórmulas de Marx (incluindo aí tal fórmula mais ou menos precoce e ainda mal assentada) ao som da canção burguesa? Que nos é preciso ainda e sempre nos arrancarmos dessa velha canção que pesa sobre nós com todo o peso da burguesia, e de sua luta de classe econômica, política e ideológica?

Mas sabemos que a burguesia conduz a luta de classe? Estou convencido de que há comunistas, sim, comunistas, para quem só a classe operária conduz a luta de classe, contra a burguesia, decerto, mas a burguesia, esta é o capitalismo, e o capitalismo, este é um regime odioso, alocado como um enorme edifício que é preciso abater, certamente, e que se defende, certamente, mas que seria como uma coisa, como uma montanha que seria preciso deslocar, donde saem de tempos em tempos CRS[139] e discursos – mas a ideia

139 N.T.: As *Compagnies républicaines de sécurité* (CRS) fazem parte da política nacional francesa. Por metonímia, CRS aqui equivale a "policiais", então

de que a burguesia passa seu tempo a atacar, que esse sistema é só um sistema de luta de classe, que tudo isso só se mantém pela luta de classe burguesa, que desde o início e doravante sempre a burguesia edificou seu reino pela luta de classes, sua luta de classe para si mesma, e que ela continua e é provisoriamente sua luta de classe para si mesma que é a mais forte, é porque ainda não a revertemos; isso, alguns comunistas, eles mesmos não o sabem. Eles não compreenderam em suas últimas, ou melhor, em suas primeiras consequências, a sentença do *Manifesto*: "a luta de classe é o motor da história", "a história é a história da luta de classes".

Então, não é de maravilha que a luta de classe burguesa obtenha esse resultado, que comunistas creiam que basta retomar as palavras de Marx dizendo: há primeiro homens, depois as relações de produção (isso faz virar marxista), depois as classes, depois a luta de classes – para ser marxista. Quando comunistas dizem isso, ela ganhou. E você sabe, ela tem o triunfo modesto. Ela contenta-se, ela, com a vitória; não precisa comunicar, como algumas de nossas pequenas organizações[140] que vivem só de publicar comunicados, nem mesmo sobre as vitórias que alcançaram, uma vez que elas não têm senão derrotas, dissoluções e prisões na ponta da língua, mas sobre seus erros proclamados, nos comunicados, vitória. Essas pequenas organizações, diferentemente da burguesia, têm a derrota eloquente. Mas quando ela consegue fazer colar sua canção sobre as classes, ou as relações sociais, a burguesia sabe que é um bom investimento. A suíte mostra-o sempre.

Eis, aí é preciso resignar-se. *A relação de produção* que define um modo de produção é uma relação entre classes: muito precisamente, *entre as classes que o constitui*; mais precisamente ainda, *entre as classes antagonistas que o constituem*. Nas formações sociais de classes, decerto, não nas sociedades sem classes.

"(...) donde saem de tempos em tempos policiais e discursos (...)".

140 Althusser visa, em primeiro lugar, à Liga Comunista Revolucionária.

O caso das "sociedades" sem classes, ou antes, das formações sociais sem classes, não traz nenhuma dificuldade. A relação de produção que as define é sempre idêntica à relação entre os trabalhadores imediatos e as forças produtivas (meios de produção, força de trabalho). Evidentemente, para que não haja classes, é preciso que essa relação seja uma relação de *detenção* dos trabalhadores imediatos sobre os meios de produção e sobre sua força de trabalho. Desde que a relação é uma relação de detenção (no lugar de ser, como em todas as formações sociais de classe, uma relação de não detenção, absoluta ou relativa, sob tal ou tal forma, "natural" ou mercante), não há mais classes – uma vez que é a não detenção que divide as classes em classes (escrevo propositalmente: que divide as classes em classes, e não os homens em classes, pois essa última expressão não tem nenhum sentido, ao passo que a primeira diz bem o que ela quer dizer: a divisão em classes antagonistas é idêntica à constituição de classes).

A questão que podemos pôr é a seguinte: assim como existem diversas formas de não detenção (as inspecionamos), deve-se certamente apostar que existem diversas formas de detenção – dizendo claramente, diferentes formas de organização da *relação comunitária* ou *comunista* de produção nas formações sociais sem classes. Que Marx e Engels tenham se interessado tanto nas sociedades "primitivas" e no "comunismo primitivo" mostra que eles pressentiam que havia, ao mesmo tempo, um fundo comum e variações possíveis, e a história lhes ofertava exemplos. E esses exemplos passados não eram desinteressantes para o futuro. Não se trata de ressuscitar o mito do comunismo primitivo que deveria servir de modelo para o comunismo vindouro, de dar uma vida nostálgica às formas comunitárias de sociedades ditas "primitivas". Mas ao menos os fatos da história provavam que havia existido sociedades sem classes, que uma sociedade sem classes pode existir. E isso é capital, pois o modo de produção comunista não existente, como falar dele, uma vez que Marx, rigoroso discípulo de Spinoza nesse ponto como em tantos outros, não fala senão do que existe? Ora, Marx pode falar disso porque 1. sociedades sem classes existiram, 2. a evolução tendencial do antagonismo que assombra o modo de produção capitalista (a luta de classes sob o capitalismo) prepara o advento de uma sociedade sem classes, 3. essa sociedade sem classes será a realidade de um modo de produção definido pela sua relação de produção, que será a *detenção* das forças produtivas pelos trabalhadores imediatos, e 4. essa detenção comunitária *deverá abster-se de toda relação mercantil*, uma vez que as relações mercantis estão ligadas historicamente a todas as sociedades de classe, e que, no modo de produção capitalista, a relação de produção deveio uma relação mercantil.

É quase tudo o que se pode dizer, com um certo número de coisas sobre todas as consequências ligadas às formas da divisão do trabalho ("subproduto" da não detenção). O resto, será preciso descobrir construindo-o.

11. As consequências do que acabamos de dizer são claras no que concerne à não existência do modo de produção socialista. Mas antes [de voltar a isso], eu gostaria de falar brevemente sobre o conceito de "produção mercantil", de "modo de produção mercantil" e de "pequeno produtor independente". Estão aí pontos decisivos.

Um espectro assombra, ou antes, um fantasma assombra o mundo marxista desde muito tempo, e mesmo desde *O Capital*, mal lido, mal compreendido, ou, por vezes, muito bem lido para ser compreendido. O fantasma do pequeno produtor independente, que arrasta com ele outro fantasma, aquele da produção mercantil, que arrasta com ela um outro fantasma, aquele do modo de produção mercantil. Um trem de fantasmas, em suma.

Vejamos brevemente essa procissão impressionante.

E para tanto, comecemos pelo fim, exorcizando o pseudoconceito de modo de produção mercantil. Não há modo de produção mercantil. Ou antes, não: haveria um, se a ideologia burguesa tivesse chegado ao conceito de modo de produção, na ideologia burguesa. Mas como a ideologia burguesa não faz caso de um conceito marxista, que ela está bastante disposta a digerir até mesmo o conceito de modo de produção, ora, digamos: o modo de produção mercante, ou mercantil, existe certamente e existe na ideologia burguesa, pois não existe senão aí. Melhor, é preciso acrescentar que o modo de produção mercantil é para a ideologia burguesa o único modo de produção existente, em sentido forte, isto é, que merece existir, pois é conforme à natureza. À natureza das coisas e à natureza humana, que dividem a cama, enquanto naturezas, na grande cama do modo de produção mercantil.

Vejamos, tão discretamente quanto possível, como as coisas se passam aí. O que quer a natureza das coisas, e o que quer a natureza humana? Que o homem trabalhe a terra, que ele a cerque (Locke, Rousseau, Smith) e sobre ela produza do que viver, ela, sua amável esposa e suas encantadoras crianças. O homem é por natureza um pequeno produtor que trabalha a natureza, e a natureza rende bem a ele, que produz, sob o efeito de seu trabalho, o que é preciso para nutri-lo, ele e sua pequena família. Pois a família é tão natural quanto todo o resto, não é verdade? Ora, o que lhe advém? O homem é tal indivíduo, Pedro, João, Tiago; ele trabalha seu pedaço de terra, tranquilo, no seu canto. E ao lado dele há um outro João, Pedro, Paulo que faz o mesmo. Pois, afinal, a espécie humana é composta de indivíduos, é sua natureza, não é verdade? Todo esse mundo trabalha, mas como sua imaginação trabalha também, num belo dia, Pedro diz: mas e se eu me entendesse com meu vizinho Paulo para passar-lhe adiante meu excedente de maçãs pelo seu excedente de peras? Como a imaginação é, como se sabe, "contagiosa" ("o contágio das imaginações fortes", Malebranche),[141] essa descoberta alastra-se como um incêndio, e eis que todos os nossos pequenos produtores independentes-familiares põem-se a virarem escambistas,[142] isto é, mercadores.

---

141 MALEBRANCHE, Nicolas de. "Recherche de la vérité, Livres I-III". *In*: ______. *Oeuvres*. tome I. Ed. G. Rodis-Lewis. Paris: Vrin, 1962, p. 320.

142 N.T.: Em francês, *échangistes*, "aqueles que fazem trocas".

Um passo a mais na imaginação, e inventamos a moeda para você, a qual, como todos sabemos, é feita (por natureza) para facilitar as trocas, e eis o comércio em andamento. Nossos pequenos produtores independentes-familiares devêm pequenos produtores mercantes: o mercado sendo a consequência natural da existência de mercadores (olha a força que pode ter a natureza!), eles trazem ao mercado o excedente de sua produção, o que eles não consomem. Nada que não fosse natural em tudo isso: a natureza faz tudo, o produtor que produz para satisfazer suas necessidades naturais, compreendendo aí as necessidades naturais da mulher que ele tomou para satisfazer suas necessidades naturais e das crianças que ela lhe deu, isto é, que ele fez nela, para satisfazer a necessidade natural da espécie humana de reproduzir-se; o excedente que nasce de uma sã atividade natural recompensada pela natureza; a ideia de trocar os excedentes, que satisfaz uma necessidade natural; o mercado que nasce naturalmente da existência de pequenos produtores escambistas de seu excedente. E eis o *modo de produção mercante*: pequenos produtores independentes que produzem para vender (uma parte de sua produção).

Dando um passo a mais, podemos conceber que, naturalmente, e, sobretudo, quando eles passaram naturalmente da agricultura para a produção de objetos fabricados, quando eles devieram artesãos, essas bravas gentes põem-se naturalmente a produzir unicamente para vender. Você não vai considerar de igual sorte que um pequeno produtor de calçados vende somente o excedente que fabricou: aqueles dos quais não precisa? Pois todos sabemos que o "sapateiro mais mal calçado", e mesmo que ele fosse bem calçado, guarda um par por ano para ele e três para a mulher e os moleques, mas todo o resto vai para o comércio. Ele produz para vender.

É assim que nasce o capitalismo. Está na origem um pequeno produtor independente que, pelo seu trabalho, seu mérito e suas virtudes, conseguiu produzir o bastante para vender o bastante para comprar algumas ferramentas a mais: até que foi preciso pôr para trabalhar alguns infelizes que nada têm para pôr na boca, pois não há mais espaço na terra (que é "redonda", isto é, finita, limitada, como diz magnificamente Kant),[143] pois eles não puderam se tornar pequenos produtores independentes, e a quem ele faz o grande e generoso serviço de dar um salário em troca de seu trabalho. Quanta generosidade! Mas ela está também na natureza humana. Que doravante tudo isso acabe mal, que os assalariados tenham o espírito de porco de achar que a jornada é muito longa, o salário muito curto, isso está também na natureza humana, que tem seus lados ruins; como está na natureza humana que certos pequenos produtores independentes capitalistas abusem (os homens maus) de seus salários, ou o que é ainda pior, à sua maneira, preguem peças, e sujas, aos outros pequenos produtores independentes que eles têm (imaginem vocês) por seus "concorrentes", e negociam sem piedade no mercado. Essas coisas aí não deveriam existir, mas o mundo não é feito só de gente boa: é preciso carregar a cruz da maldade humana ou da inconsciência humana. Pois se eles ao menos soubessem!

Se eles soubessem, eles saberiam o que acabamos de dizer. Que existe um modo de produção natural e um só: o modo de produção mercante, constituído de pequenos produtores independentes familiares que produzem para vender seja seu excedente, seja o todo de sua produção, trabalhando a sós com sua pequena família, ou empregando os infelizes desabrigados a quem eles fornecem, por amor aos homens, o pão do salário, e que muito naturalmente se tornam, dessa maneira, capitalistas, os quais podem engordar, se o Deus de Calvino, que recompensa as obras, lhes der a graça.

É assim que o modo de produção mercante(til),[144] fundado sobre a existência de pequenos produtores independentes, antes autossubsistentes, depois naturalmente consagrados a tornarem-se mercadores em parte, depois no todo, depois mercadores por uma

143 KANT, Immanuel. *Métaphysique des mœurs, première partie*: doctrine du droit. Trad. A. Philonenko e prefácio de M. Villey. Paris: Vrin, 1993, § 13, p. 138.

144 N.T.: Em francês, *marchand(e)*.

produção assalariada (capitalista), é, para a ideologia burguesa, *o único modo de produção.*

Não há aí outro. Os outros não são senão desvios ou aberrações, pensados a partir desse só e único modo. Aberrações devidas ao fato de que as Luzes não tinham, nos tempos de obscuridade e obscurantismo, penetrado os espíritos com suas evidências. Assim, o horror escandaloso da escravidão: é que não se sabia então que todos os homens são livres (= tendo direito à natureza humana = podendo ser pequenos produtores independentes). Assim, o horror da feudalidade: é que não se sabia então que o pequeno produtor independente feudal, o servo, podia deixar sua terra e ir instalar-se alhures, e trocar seus produtos por outros, como todo homem no mundo – no lugar de restar preso no medonho círculo fechado da autossubsistência, todavia, temperada por esse outro horror que era a corveia do Senhor e o dízimo da Igreja.

Se o modo de produção mercante é, para a ideologia burguesa, o único modo de produção no mundo – do qual todos os outros não são senão desvios ou aberrações –, é que ele preenche essa função de *fundar* o modo de produção capitalista, como o único modo de produção no mundo. Pois o que é o modo de produção capitalista? (Supõe-se sempre aqui que a ideologia burguesa aceita empregar o conceito de modo de produção, o que ela pode perfeitamente fazer: ela fez isso com outros!). É muito simplesmente o modo de produção mercante em sua forma desenvolvida, naturalmente desenvolvida: o modo de produção mercante serve à ideologia burguesa para fundar o modo de produção capitalista, na medida em que a ideologia burguesa pensa o modo de produção capitalista através das categorias fundadoras do modo de produção mercante. Como o modo de produção mercante é perfeitamente mítico, uma invenção do imaginário ideológico, e como a operação de fundação remonta ao mesmo imaginário, nós temos, de um lado, o fato da existência do modo de produção capitalista, terrivelmente real, e, do outro, sua teoria, sua essência, que nos fornece a construção mítica e fundadora do modo de produção mercante. O resultado dessa operação de fundação imaginária é este aqui.

1. O modo de produção capitalista que existe é o único que pode existir, o único que existe, o único que teria direito à existência. Que ele não tenha sempre existido (será? quando buscamos no detalhe, encontramos sempre por todos os lados essa realidade, que é natural: os pequenos produtores independentes), ou que ele não tinha existido de maneira visível, ocultado por medonhas realidades, isso não é senão acidente da história. Ele deveria, desde toda a eternidade, existir, e graças a deus agora existe, tendo vencido contra todo o obscurantismo, e nós estamos assegurados que a natureza, tendo, enfim, vencido a não natureza, a luz tendo, enfim, triunfado as tênebras, a natureza e a luz, isto é, o modo de produção capitalista está assegurado para existir por toda a eternidade. Enfim, ele foi *reconhecido*!

2. Essa garantia enfim adquirida, a essência tendo enfim alcançado a existência, pode-se, enfim, tudo compreender. E se se quiser compreender o que é o modo de produção capitalista, basta ir ver do lado de sua origem, isto é, de sua essência, o modo de produção mercante, e encontrar-se-ão os homens, os pequenos produtores independentes, sua família e todo o resto.

3. Chegamos, enfim, à existência, e como o que chegou à existência é a essência, tem-se tudo o que é preciso. A existência que jorra satisfação, e a essência que permite compreendê-la. Desse jeito, todo o mundo está contente.

Dito de outra maneira: desse jeito, a ideologia burguesa alcançou seu fim. Representar o modo de produção capitalista como sendo o desenvolvimento de um modo de produção imaginário e a "gênese" do modo de produção capitalista como o resultado do trabalho de pequenos produtores independentes merecedores, os quais só se tornam capitalistas porque eles verdadeiramente o mereceram. Nada mais há a não ser entoar o hino universal do reconhecimento da humanidade à livre iniciativa.[145]

---

145 Se quisermos absolutamente encontrar um tipo de indivíduo na origem do modo de produção capitalista, de maneira nenhuma seria o pequeno produtor

É aqui que o negócio nos interessa. Pois esse sistema de noções pesou enormemente sobre a teoria marxista, e com razão. Pois toda a economia política clássica está impregnada dele, não é senão seu comentário erudito. Dele resulta efeitos no próprio Marx, quem tem, entretanto, tudo o que é preciso para guardar-se desse perigo, mas, sobretudo, entre os marxistas para os quais o próprio Marx não basta (quando eles não o lêem, evidentemente, mas mesmo quando o lêem) para protegê-los desse contágio.

---

independente *direto*, mas aquele que Marx chama de "possuidor de dinheiro", o qual justamente não é um produtor direto, nem mesmo pequeno, mas um não produtor, um homem que por mil meios, a usura ou o comércio ilegal etc. acumulou um "tesouro" do qual ele vai se servir como capital-dinheiro para comprar um local e nele instalar, fornecendo-lhes a matéria primeira que ele comprará assim como as ferramentas *ad hoc*, os "artesãos" da primeira forma de manufatura.

O "possuidor de dinheiro" é o "portador" da acumulação primitiva, fenômeno social que "se replica" num certo número de indivíduos. É assim a acumulação primitiva que está "na origem" do capitalismo: não sua origem, mas *uma de suas condições* de nascimento, ao que é preciso ainda acrescentar a existência, numa escala social, de "trabalhadores livres", "livres" de todo meio de produção.

Notemos, e isto é capital, que uma vez constituída numa formação social, constituída e incorporada a relação de produção capitalista, ao modo de produção capitalista não está assegurado, apesar disso, *existir* e desenvolver-se. Desconhecemos, ou melhor, *não se quer* saber que antes de existir sob a forma que nós conhecemos, a forma histórica ocidental inglesa, francesa etc., o modo de produção capitalista nasceu, constitui-se, conheceu certo desenvolvimento, muito avançado em suas formas (até o trabalho parcial, o trabalho em cadeia), depois *morreu* em algumas cidades italianas do século XIV (ao longo do Pó). Que um modo de produção possa morrer após ter nascido, que o modo de produção capitalista possa morrer, possa ser morto diversas vezes após ter nascido, que escândalo! Pois é compreendido que ele não pode morrer senão para dar lugar ao socialismo. Simplesmente, ele desapareceu da formação social que o portava. Pois ela tinha a forma da cidade. Era preciso a nação (Maquiavel) [nota de Althusser]. Cf.: MARX, Karl. "Le Capital", Livre I. *In*: ______. *Oeuvres*: économie, 2. tome I. Trad. M. Rubel e J. Malaquais. Paris: Gallimard, 1968, note a, p. 1171; ENGELS, Friedrich. "Au lecteur italien" [Préface de l'édition italienne du "Manifeste communiste", 1893]. *In*: MARX, Karl. *Oeuvres*: économie, 1. tome I, pp. 1490 e ss.

É preciso, todavia, ver claramente, e é bastante simples, essas pseudodificuldades.

Quando Marx fala de *produção mercante*, essa indicação não implica por nada a existência de um pseudomodo de produção mercante. O que é produção mercante? É *a* parte da produção que ora é comercializada como excedente, ora é produzida para ser comercializada. Nada a menos, mas nada a mais. Em todos os modos de produção em que existem relações mercantes, há produção mercante. Pois não poderia existir relações mercantes, de mercado, sem que haja uma produção que seja trocada no mercado pelo equivalente geral, o dinheiro. Ora, essa produção aí é dita produção mercante porque ela passa pelas relações mercantes da circulação mercantil. E nada mais.

Mas a produção mercantil pode ser, eu o disse, representada pelo excedente de uma produção não mercantil, ou, ao contrário, constituir o resultado de uma produção puramente mercantil, de uma produção feita para a venda. Essa última produção pode ser *localizada* num modo de produção (é o caso de todos os modos de produção pré-capitalistas em que existem relações mercantes), isto é, "existir em seus poros", como diz Marx.[146] Ela pode, ao contrário, ser generalizada, como no modo de produção capitalista. Mas isso não muda nada no negócio: em nenhum caso a produção mercantil, nem mesmo no modo de produção capitalista, remete a um modo de produção que seria o modo de produção mercante. Penso que está bastante claro, não?

O que é aparentemente mais complicado é a questão dos "pequenos produtores independentes", sobre os quais repousa toda a ideologia burguesa da sociedade, da história e da economia política. É tão mais complicado que Marx fala amiúde de "pequenos produtores independentes" e em termos que não são sempre claros.

---

146 Cf.: p. 119, n. 129.

Inclusive é preciso admitir que ele não conseguiu inteiramente desembaraçar-se em todos seus textos (eu digo em todos: pois em numerosos textos ele conseguiu) da ideia de que o pequeno produtor independente é uma realidade de alguma maneira "*natural*", nisso ele subscreve, quer ele queira ou não, uma categoria essencial à ideologia burguesa, a categoria de "natureza", destinada muito simplesmente a fundar o fato existente em sua origem de direito. (A natureza, é ela o que detém o direito, ela é porque todos os juristas do "direito natural" falam justamente de "direito natural": a natureza, ela é o que é *de direito*, noção sem apelo num tempo em que o Direito é a maior autoridade burguesa do fato burguês da relação de produção capitalista). Igualmente parece "natural" a família monogâmica (mulher e filhos) como unidade de produção e de consumo. Igualmente parece "natural" que o pequeno produtor independente viva em família monogâmica, que ele se ponha a trocar seu excedente, e se ele for merecedor o suficiente para ter acumulado o bastante para empregar operários assalariados, que ele se torne capitalista. É o *homo* (*indiuiduum*) *oeconomicus*[147] em sua forma originária.

Mas não é somente a ideologia burguesa que impressiona Marx, é coisa outra: *a existência de fato de pequenos produtores independentes*, correspondendo, no grosso, à figura que apresenta a ideologia burguesa, durante todo um período que se estende do fim da Idade Média até a época contemporânea. São esses pequenos produtores independentes que foram expropriados na sinistra história da acumulação primitiva![148] São eles que, paradoxalmente, reencontramos em certos países do Ocidente, como na França (enquanto, na Grã Bretanha, eles foram dizimados), e em nossos dias, os reencontramos ainda na França (os agricultores familiares)[149] e

---

147 N.T.: "homem (indivíduo) econômico".

148 MARX, Karl. "Le Capital", Livre I. *In*: _____. *Oeuvres*: économie, 2. tome I. Trad. M. Rubel e J. Malaquais. Paris: Gallimard, 1968, pp. 1171 e ss e 1178.

149 N.T.: Em francês, *les exploitants agricoles familiaux*.

tentamos instalá-los nos países "subdesenvolvidos" para "apressar" seu "desenvolvimento" (Africa).[150] São eles que foram suprimidos pela coletivização das terras na URSS sob Stálin etc. Em suma, uma realidade que resiste.

E tomando somente um exemplo, quando Marx[151] trata no porrete a teoria burguesa da origem do capitalismo (pelo pequeno produtor independente), opondo-lhe sua teoria da acumulação primitiva, ele encontra justamente os pequenos produtores independentes, não como a origem do capitalismo, mas como o que o capitalismo deveu destruir para instalar-se sobre as ruínas do modo de produção feudal. Então, isso existe mesmo, os pequenos produtores independentes! E se isso não está em relação com aquele que se diz modo de produção mercante, o que estaria?

Se quisermos nos lembrar aqui do que foi dito do modo de produção feudal, creio poder avançar a hipótese que, ao menos para a Europa capitalista oriunda da feudalidade, o pequeno produtor independente, longe de ser, como o crê a ideologia burguesa, a forma originária do modo de produção capitalista, é uma forma orgânica do modo de produção feudal. O pequeno produtor independente, assistido pela sua família (unidade de produção e unidade de consumo), detém, com efeito, seus meios de produção e sua força de trabalho. Nós vimos que no modo de produção feudal, ele os detém "relativamente" (o que é equivalente a uma "não detenção" relativa), uma vez que a terra à qual ele está ligado pertence "eminentemente" ao senhor e sua força de trabalho não lhe pertence verdadeiramente, uma vez que ela está, por um lado, ligada à terra, a qual ele não pode deixar, e, por outro lado, disponível para o senhor (trabalho sobre as terras do senhor, corveias etc.).

---

150 Cf.: ALTHUSSER, Louis. "Notes, hypothèses et interrogations sur le problème du 'développement rural' en Afrique". (Imec, Fonds Althusser, Alt2. A7-01.01).

151 MARX, Karl. "Le Capital", Livre I. *In*: ______. *Oeuvres*: économie, 2. tome I. Trad. M. Rubel e J. Malaquais. Paris: Gallimard, 1968, pp. 1167 e ss.

Sob o modo de produção feudal, esses traços são visíveis e pertinentes o bastante para dispensar mais explicações. Mas quando essa *forma* da relação de produção feudal sobrevive noutras condições e conserva-se até nas condições do modo de produção capitalista, hesitamos reconhecê-la como típica da relação de produção feudal. Pois, efetivamente, ela existe sob um outro modo de produção, então tornando-se dominante, o que muda certo número de seus traços.

Dir-se-á que está em jogo o mesmo que a renda fundiária. Há alguma justeza nessa aproximação. Mas creio que se pode sustentar a ideia de que a forma da "pequena produção independente" é menos penetrada pela relação de produção capitalista que a renda fundiária.

Com efeito, se juridicamente o pequeno produtor não está mais ligado à sua terra, como estava o servo, praticamente, ele está. Ele está por outras "leis" que aquelas da servidão (ele está pelas suas dívidas etc.), mas o fato é: não há migrações de pequenos produtores camponeses. Eles restam sobre sua terra: ela os toma. Decerto, [o pequeno produtor] não está mais submetido às corveias e dispõe de sua força de trabalho "livremente", mas ele está "tomado" por liames tão fortes, aqueles de um endividamento do qual jamais se livra etc.

Mas não está aí o mais importante. O que subsiste, *intacto*, desde o modo de produção feudal, é não somente a parte de autossubsistência (o que é aqui muito secundário), é a relação do trabalhador imediato, o pequeno produtor independente, com sua força de trabalho e com aquela dos seus. Ora, essa relação, em pleno regime capitalista, no qual reina o salário, é uma relação *que não passa pelas relações mercantis*. Todas as reconstruções de economistas burgueses ou marxistas para avaliar o valor da força de trabalho investida numa exploração familiar são reconstruções fictícias, as quais negligenciam simplesmente *este fato*, de que essa força de trabalho é um valor de uso que não é um valor de troca, portanto não tem valor. Todas as tentativas de compatibilidade tropeçam nessa pequena "dificuldade", a qual assinala, contudo, uma realidade capital, a saber: que o pequeno produtor independente, longe de ser o protótipo do capitalista, longe de ser um capitalista, é um "corpo estranho" no modo de produção capitalista, simplesmente porque ele representa uma forma herdada do modo de produção feudal e que resistiu à história e à evolução.

Está aí um ponto sobre o qual não se poderia insistir muito. Pois a ideia de que a pequena produção independente é virtualmente capitalista (um pequeno pode devir um grande, e o grande será capitalista), a ideia (*ainda mais grave*) de que nada é mais "natural" que a pequena produção independente, essas ideias estão aí de tal maneira ancoradas em séculos de ideologia burguesa, sendo preciso a todo custo explicar-se isso para desmascará-las como mitos burgueses, como o mito burguês por excelência.

Não é verdade. A pequena produção independente (seja ela camponesa ou artesanal) nada tem de "natural" (tampouco a família monogâmica que lhe serve de alicerce e mão de obra): ela é o resultado de um processo que se pode assinalar, para nossa história francesa, o momento de constituição, a saber, o modo de produção feudal. Não é verdade: a pequena produção independente (mesmo se certos pequenos, devindo grandes, voltam-se ao capitalismo) nada tem a ver com as formas capitalistas da produção e ela não é virtualmente capitalista.

Digo: para nós, o pequeno produtor independente remete ao modo de produção feudal. Ao menos para nós, na Europa Ocidental e, em todo caso, na Inglaterra e na Franca, e também na Itália. Mas por que essa reserva? Pois é de se excluir que a forma "pequeno produtor independente" possa existir a partir de outros modos de produção além do modo de produção feudal. Por exemplo, na Grécia e em Roma, portanto sob o modo de produção escravagista. Mas nesses casos, seria preciso, o que foge de minha competência, [conhecer] as condições de existência próprias dessas formas, as quais, em todo caso, a história arrancou de sua existência, pois, que eu saiba, os famosos pequenos produtores independentes em sua forma romana desapareceram perante os grandes proprietários de escravos com grandes domínios, para ressuscitar sob a forma de servos sob a feudalidade medieval.

O ponto importante parece-me, então, ser o seguinte.

Existe uma forma que se pode chamar de "pequena produção independente", entendida no sentido que definimos: o pequeno produtor independente e sua família, utilizando sua força de trabalho e aquela dos seus para operar seus meios de produção (com não detenção parcial ou detenção parcial).

Essa forma nada tem de natural. (Aliás, é preciso arrancar da existência teórica toda expressão em que intervém o termo "natural". Nada é menos "natural", por exemplo, que "a economia" dita "natural". Nada é menos "natural" que tal ou tal forma de liames de parentesco, portanto de relações familiares).

Essa forma pode existir em diferentes modos de produção, sem dúvida com variantes em seus traços, o que seria preciso estudar, mas com elementos constantes.

Quando essa forma existe num modo de produção, ora ela é típica desse modo de produção (como no modo de produção feudal), ora ela é atípica desse modo de produção e remete então à forma típica de um outro modo de produção (como a forma "pequena produção independente" no modo de produção capitalista), ora ela é uma forma secundária, uma "subforma", uma "forma transformada" do modo de produção considerado (é talvez o caso no modo de produção escravagista na Grécia e em Roma). (Nesse último caso, veja se ela não é um produto de relações mercantes, um dos produtos de relações mercantes).

Como essa forma não é *natural*, não se pode impô-la arbitrariamente a um modo de produção existente para nele facilitar ou acelerar a evolução. Aqui noda-se um número incrível de problemas e dificuldades que não são, ai!, só teóricas, mas políticas e históricas.

Veja você a experiência de Marx, a dupla experiência de Marx. Em [1853], ele escreve sobre a Índia[152] e prediz que o desenvolvimento do capitalismo por lá vai decompor a sociedade hindu e impor as formas capitalistas "clássicas" (o pequeno camponês hindu vai tornar-se um pequeno produtor independente; as relações mercantes impõem-se). Depois, dez anos mais tarde, Marx[153] reconhece que ele se enganou e que as relações de produção existente nas Índias mostraram uma sacra capacidade de resistência "às novas formas". Estranho... A quais novas formas? Em todo caso, a Índia seguiu sua história, que apresenta o inconveniente de não ser conforme ao esquema evolucionista da sucessão "natural" de modos de produção obrigatória... Mas então, haveria formas que não funcionariam?

Mas Marx, no fim de sua vida, escreve sobre o *mir*[154] (a Vera Zassoulitch),[155] e é para considerar que *outras formas* (que a pequena produção independente, *soi-disant* imposta pelo modo de produção capitalista) podem ser consideradas para a passagem ao socialismo. A comunidade camponesa russa ("natural"?) poderia,

---

152 MARX, Karl. "La domination britannique aux Indes". *In*: _____. *Oeuvres*. tome IV. Paris: Gallimard, [s.d.], pp. 718 e ss.; MARX, Karl. "Les conséquences futures de la domination britannique en Inde". Trad. M. Rubel avec L. Janover. *In*: _____. *Oeuvres*. tome IV. Paris: Gallimard, [s.d.], pp. 730-736.

153 MARX, Karl. *Le Capital*, tome III, *op. cit.*, pp. 1101/1102; MARX, Karl. "Zur Kritik der politischen Ökonomie". *Marx Engels Gesamtausgabe*, section II, tome III, 5ª partie: Manuscrit 1861-1863 (texte). Ed. H. Skambraks e H. Drohla. Berlin: Dietz, 1980, p. 1555; MARX, Karl. "Die Gestaltungen des Gesamtprozesses". *ibid.*, tome IV, 2ª partie: Manuscrits 1863-1867 (texte). Ed. M. Müller *et al.* Berlin/Amsterdam: Dietz/Internationales Institut für Sozialgeschichte, 1992, pp. 407 e 728.

154 N.T.: "Mir" [мир], ou "Obshchina" [общи́на], é uma antiga comunidade rural campesina, cuja posse da terra era dos próprios camponeses que nela trabalhavam coletivamente.

155 MARX, Karl. "Lettre à V. Zassoulitch du 8 mars 1881". *In*: _____. *Oeuvres*: économie, 2. tome I. Trad. M. Rubel e L. Janover, pp. 1557-1561; MARX, Karl. "Brouillons de la correspondance avec V. Zassoulitch". Trad. M. Rubel avec L. Janover, pp. 1565-1573.

sob certas condições, dar certo. Em todo caso, questão que não se deve negligenciar.

Essa questão teria sido negligenciada por Lênin e pelos bolcheviques? O fato é que eles deveram, por razões políticas evidentes, proclamar a partilha de terras: a terra àqueles que a trabalham. A terra àqueles que a trabalham, certo. Mas precisava da partilha para tanto? Ou seja, criar uma massa de dezenas de milhões de pequenos produtores independentes? A história da revolução russa foi muito caótica para que se possa vê-la claramente. Mas o fato é que na miséria que seguiu a guerra, na guerra de intervenção e na guerra civil, os desafortunados camponeses desprovidos de instrumentos de produção, e talvez não formados nessa forma de produção individual, não tiveram, por uma razão ou outra, outro recurso senão vender suas terras aos maiores, os quais cresceram mais, e constituíram a camada dos cúlaques. Conviria perguntar-se se Lênin,[156] para tirar das estatísticas dos *zemstva*[157] conclusões interessantes sobre "o desenvolvimento do capitalismo na Rússia" (nos campos), não generalizou muito rápido suas conclusões, negligenciando o que, nos campos, não era capitalismo, e crendo um pouco rápido também, sobre o lance de conclusões tiradas por Kautsky[158] de Marx (*A Questão agrária*), que em todo país a ordem de sucessão ocidental era regra, subestimando os elementos não capitalistas.

Se essa hipótese, extremamente arriscada, tiver alguma coisa de verdadeiro, nela se encontraria um resquício de evolucionismo,

---

156 LÉNINE, Vladmir I. *Oeuvres*. tome III. Paris/Moscou: Éditions sociales/Éditions du Progrès, 1956, pp. 13-15, 63 e ss., 160 e 180; LÉNINE, Vladmir I. *Oeuvres*. tome XX. Paris/Moscou: Éditions sociales/Éditions du Progrès, 1956, pp. 104-107 e 362/363.

157 N.T.: O plural de *zemtsvo* é *zemtsva*. Althusser, no entanto, escreve *zemstvos*.

158 KAUTSKY, Karl. *Die Agrarfrage*: eine Übersicht über die Tendenzen der modernen Landwirtschaft und die Agrarpolitik der Sozialdemokratie. Stuttgart: Dietz, 1899, pp. 332 e ss. (trad. ang. *The Agrarian Question in Two Volumes*. Trad. P. Burgess. Londres: Zwan, 1988, tome II, pp. 339 e ss.).

que vai de par com a teoria "natural" burguesa do modo de produção mercante e do pequeno produtor independente como virtualmente capitalista. Se formos ao fundo da questão, somos constrangidos a nos perguntar se a teoria marxista, tanto da renda fundiária quando da "questão agrária", não alinhou muito rapidamente os campos sobre as cidades, o curso "normal" da evolução agrária sobre o curso "normal" da evolução urbana. E, contudo, Marx[159] (é verdade que de maneira somente alusiva, mas é uma tese totalmente essencial ao marxismo) bem tinha dito e mostrado que a oposição ou a diferença entre as cidades e os campos (que o comunismo deve suprimir) é um traço orgânico do modo de produção capitalista; que o modo de produção capitalista acentua de maneira irremediável essa diferença.

Mas se as palavras têm um sentido, o que isso quer dizer? Que há uma desigualdade fundamental de desenvolvimento entre as cidades e os campos do ponto de vista do modo de produção capitalista, em função da relação de produção capitalista. Mas se assim for, por que esse retardo, quais são os efeitos disso? Produtividade maior nas cidades (a indústria). E, contudo, é nos campos que o modo de produção capitalista começou! (Os *enclosures*, e na França, os fisiocratas). E aí? O que seria senão a subsistência nos campos de formas feudais que "resistiram" mais que nas cidades (como elas resistiram nas Índias)? Mas se as formas do modo de produção feudal subsistem mais facilmente e [são mais] capazes de resistência nos campos que nas cidades, ainda uma vez, por quê?

---

159 MARX, Karl; ENGELS, Friedrich. *L'Idéologie allemande*. Trad. M. Rubel com L. Évrard e L. Janover. *In*: ______. *Oeuvres*: Philosophie. tome III. Paris: Gallimard, 1982, pp. 1092 e ss, e 1106; MARX, Karl. "Le Manifeste du Parti communiste". *In*: ______. *Oeuvres*: économie, 1. tome I. Trad. M. Rubel e L. Évrard. Paris: Gallimard, 1968, pp. 165/166, 182; MARX, Karl. "Le Capital", Livre I. *In*: ______. *Oeuvres*: économie, 2. tome I. Trad. M. Rubel e J. Malaquais. Paris: Gallimard, 1968, p. 894. Cf.: ENGELS, Friedrich. *Anti-Dühring (M. E. Dühring bouleverse la science)*. Trad. Émile Bottigelli. 3ª ed. Paris: Éditions sociales, 1977, pp. 327 e ss.

É uma questão que merece uma atenção muito séria e que pode esclarecer o que dissemos mais acima (toda formação social está "em trânsito" entre dois modos de produção, com elementos do precedente...), do que se pode tirar a ideia de que é preciso cada vez ver muito perto o que se passa numa formação social de um modo de produção dado e abandonar a ideia de que o modo de produção realiza-se *puro* na formação social. É uma questão *política* de primeira importância, uma vez que ela comanda as medidas a tomar no campo (e alhures, mas sobretudo no campo, "ponto cego" da política dos países socialistas, exceto a China, e talvez também "ponto cego" da teoria marxista).

Concluamos que não existe modo de produção mercante, que existem pequenos produtores independentes, mas não sendo sua existência "natural", a despeito da aparente identidade de sua forma, o que importa é saber de qual modo de produção eles dependem quando figuram numa formação social dada, a fim de poder tratá-los consequentemente, e saber que não se pode impor sua forma a qualquer formação social.

12. O que foi dito da relação de produção que define um modo de produção permite retornar à questão do pseudomodo de produção socialista.

Define-se ordinariamente o socialismo 1. pela propriedade coletiva dos meios de produção e 2. pelo poder da classe operária. A segunda característica concernente à superestrutura não é pertinente para definir a relação de produção suposta. Resta a primeira.

Recordo que a relação de produção de um modo de produção define-se pela relação existente entre os trabalhadores imediatos, de um lado, e pelas forças produtivas (meios de produção e força de trabalho), de outro.

Ora, na formação social socialista, constata-se isto:

A força de trabalho passa sempre pela detenção relativa da forma salarial, forma mercante. Juridicamente, no princípio, nada mudou com a relação de produção do modo de produção capitalista.

Quanto aos meios de produção, eles não são detidos diretamente pelos trabalhadores imediatos, mas indiretamente, pela "propriedade coletiva" (Estado, cooperativas de produção).

Resta-se, pois, na forma da não detenção (forma salário) da força de trabalho, acompanhada da não detenção dos meios de produção, mas corrigida pela detenção indireta.

É o que permite dizer que a fórmula de Lênin tem justeza: sob a formação socialista coexistem, de maneira contraditória, elementos que vêm da relação de produção capitalista e elementos que preparam a relação de produção comunista.

Esse último é preparado pela propriedade coletiva dos meios de produção, por toda uma série de disposições: o plano, garantias que controlam o mercado de trabalho, dispositivos de salário tendendo a reduzir sua disparidade, e, de uma maneira geral, medidas de organização que tendem a preparar as formas comunitárias da gestão das empresas e da nação (visando atenuar, depois, suprimir a divisão do trabalho, a divisão entre trabalho manual e trabalho intelectual, a divisão entre cidades e campos etc.).

Tudo é irremediavelmente decidido no esforço político para reduzir os elementos que dependem da relação de produção capitalista e para desenvolver os elementos, preparando a relação de produção comunista. Tudo é irremediavelmente decidido aí, pois a questão não se decide antecipadamente. E erros podem tudo comprometer, fazendo inverter a tendência para outro sentido.

(Um ponto desconhecido: a divisão entre cidades e campos, o que nos faz reencontrar as questões evocadas acima. Não se levou a sério a palavra de Marx sobre essa questão. Todavia, ela é decisiva. O capitalismo toma coisas como ele as acha, imensos campos e algumas cidades – e ele vai, após um primeiro tempo de hesitação, no qual ele se instala nos campos, desenvolver-se de maneira frenética nas cidades e, pois, fazer crescer de maneira monstruosa o desigual desenvolvimento entre cidades e campos em benefício das cidades. Isso também parece "natural". Pensa-se que as cidades são o lugar de eleição das usinas, por quê? Meios de comunicação, concentração humana? Ponto de desobstrução de todas as rotas comerciais aportando as matérias primas? É preciso saber, no entanto, que uma grande parte da indústria foi desenvolvida nos séculos XVII e XVIII *nos campos*, nas proximidades de cursos d'água e de minas. Nada há, pois, de "natural" no desenvolvimento das cidades.

Seria preciso encontrar as razões disso, as quais talvez foram já encontradas, mas que eu desconheço. Talvez o que se chamou de capitalismo comercial, que se estendeu de portos (veja Veneza, Haia, Londres, Bordeaux etc.) às cidades continentais? Talvez também razões políticas? O que quer que seja, o desenvolvimento das cidades em detrimento dos campos traz a marca da economia capitalista e da política capitalista, talvez mesmo da luta de classe capitalista. (Nas cidades, o capitalismo escapava da aristocracia fundiária, seu inimigo de então?).

Sob essa relação, a política de Stálin e da URSS atual traz a mesma marca: a política chinesa, ao contrário, vai no sentido almejado por Marx. A política de Stálin ia de par com sua política de acumulação socialista sobre as costas de camponeses. Era um outro avatar da má política agrária da revolução de 1917 (má... difícil de afirmar com toda nitidez).

[A contradição principal][160]

1. A contradição principal

É preciso refutar a tese pela qual começam as Resoluções dos 80[161] e outros: a saber, a contradição entre "o campo imperialista" e "o campo socialista"[162]

Essa contradição não é antagonista, não é mesmo, desde o fim da guerra fria (e as razões desse fim estão para ser revistas de perto), não é *somente* a força do "campo socialista" e dos povos lutando para sua liberação + a classe operária internacional que alcançaram ao fim da guerra fria, mas também razões imperialistas, próprias ao imperialismo, às suas perspectivas de fincar-se em certos países socialistas financeiramente – novos Planos Marshall, dessa vez com uso direto de certos países socialistas –, economicamente (efeito de empréstimos) e politicamente, inclusive utilizando os efeitos da cisão do movimento comunista internacional e seu agravo. Nessas novas condições, os EUA não precisam mais de uma política de *rollback*[163] militar. A política de imperialismo financeiro + as contradições entre a URSS e a China fazem seu negócio muito

---

160 Existem três esboços desse texto nos arquivos de Althusser. O primeiro traz o mesmo título – "Rumo à crise final do I[mperialismo]" – que a Introdução (não retomada aqui); é provável que ele fosse destinado a ser integrado aí. Uma outra versão, comportando três frases, está sem título. Uma terceira encontra-se integrada num capítulo que traz o título "Sobre o CME". Somente a primeira frase do texto dado aqui é tirada da versão sem título, o resto sendo baseado na versão intitulada "No sentido da crise...".

161 DECLARATION DES PARTIS COMMUNISTES ET OUVRIERS. *L'Humanité*, 6 de dezembro de 1960, pp. 5/6 e 9/10. Extensos extratos dessa "Déclaration" foram publicados no *Le Monde* de 7 de dezembro de 1960, pp. 6/7.

162 N.T.: Não há ponto final no texto original.

163 N.T.: *Rollback*, termo militar particularmente referido à política externa dos EUA e traduzido comumente por "reversão", consistindo, em geral, em forçar a mudança política de algum Estado substituindo seu regime (no caso em questão, substituindo o regime comunista).

melhor, abrindo a via para uma política de "coexistência pacífica", depois de "cooperação" (!) econômica.

A contradição principal é: a contradição antagonista existente entre a classe capitalista em escala mundial e a classe operária em escala mundial + os aliados da classe operária mundial, a saber, os povos lutando para sua liberação.

Essa contradição é antagônica. Ela não pode encontrar solução (como se diz) senão pela supressão de um de seus termos: a classe capitalista dos países imperialistas – pelo fim do imperialismo.

Naturalmente, trata-se aí de uma contradição antagonista – mas que pode ser "tratada" de maneira não antagonista se a luta de classe da classe operária for oportunista. Se, por exemplo, a URSS abre-se ao novo Plano Marshall que ela mesma demandou (aos EUA e à RFA, em breve também ao Japão)! Essa "abertura" econômica não é apenas econômica. Ela tem efeitos políticos, induzindo a "política" internacional e, assim, também a "política" interior dos partidos comunistas dos países imperialistas. Se a classe operária não chegar a quebrar esse "círculo", ela pode esperar muito tempo a "queda", portanto o fim do imperialismo. Mas, mesmo nesse caso, é de se esperar que os fatos da crise (monetária, pouco depois econômica e finalmente política) educarão, pela sua rude escola, os militantes operários, e que eles entrarão na dança sobre um ritmo totalmente outro que aquele que as direções lhes impõem.

2. É à luz dessa contradição principal que é preciso considerar a crise do movimento comunista internacional atual.

Aparentemente, nós estamos numa crise sem saída. Aparentemente. Mas não é a primeira vez. Em 1914, quantos militantes havia na Europa que acreditavam que três anos mais tarde uma revolução poderia eclodir nalgum lugar no mundo e triunfar? Poder-se-ia, depois da "traição da Segunda Internacional", da política "social-chauvinista" de todos os dirigentes dos partidos socialistas e social-democratas, contá-los quase nos dedos das duas mãos.

Lênin estava praticamente sozinho, com alguns amigos, em 1914. E em 1917, no momento das Teses de Abril, ele estará sozinho perante todos os dirigentes do PC (b) que vieram recebê-lo na estação de São Petersburgo – e ainda assim a revolução tinha eclodido na Rússia!

[Ilusão da concorrência, realidade da guerra]

Hipótese (a verificar): a relação de produção capitalista é tal que ela implica

1. A exploração e, pois, a luta de classe (dos dois lados, mas, primeiramente, se se pode dizer, do lado da classe capitalista).

2. A "atividade"[164] do modo de produção capitalista em seus "limites" próprios, que são absolutos: ele não pode sair de si mesmo.

Daí resultaria que a representação da concorrência como *causa* 1. da concentração e 2. do aumento do capital (para resistir à concorrência: em suma, uma teoria da guerra preventiva, da guerra econômica preventiva, em que tudo se passa só entre os capitalistas, aplicando a fórmula spinozista dos peixes: o maior come os menores e assim engorda-se dos pequenos,[165] o que dá uma teoria inteiramente suspensa na concorrência entre os capitalistas, enquanto, ao mesmo tempo, os operários são deixados também eles numa concorrência entre si, antes de se associarem) –, que essa teoria seria uma teoria burguesa.

Daí igualmente resultaria que a representação da primeira fase do capitalismo como aquele do capitalismo *concorrencial* seria ela também ora puramente descritiva, falando de um efeito (mas é preciso dizê-lo), ora falsa.

A verdade teria de ser buscada alhures.

Marx o diz a propósito da baixa tendencial da taxa de lucro, muitas vezes: não é a concorrência que é a causa da baixa da taxa de lucro, mas, ao contrário, é a baixa que é a causa da concorrência.

---

164 N.T.: Em francês, *jeu*, "jogo" (*lit.*).

165 SPINOZA, Baruch de. "Traité théologico-politique". Trad. Charles Appuhn. *In*: ______. *Oeuvres*. tome II. Paris: Garnier- Flammarion, 1965, p. 261.

O darwinismo econômico da concorrência (remetendo mais uma vez à imagem ideológica burguesa do pequeno produtor independente, lutando contra os outros) é falso.

A concorrência é "uma ilusão" (Marx).[166]

Então, onde buscar a causa, da concorrência e dos outros efeitos atribuídos à concorrência (como a concentração)? Justamente na baixa tendencial da taxa de lucro: no que ela recobre e manifesta, a saber, a luta de classe.

Donde vem a baixa? Do aumento da relação c/v,[167] [168] isto é, do desenvolvimento da produtividade, isto é, da substituição parcial e tendencial do mais-valor absoluto pelo mais-valor relativo. Ora, esse "deslocamento" é um efeito da luta de classes *em seu princípio*.

(As falsas representações:

1. O desejo de enriquecer-se (psicologia).

2. Negando essa psicologia: a lei da concorrência (descrita por Hobbes), ou o Estado de guerra.

---

166 MARX, Karl. "Principes d'une critique de l'économie politique [extraits des Grundrisse]". *In:* _____. *Oeuvres*: économie, 2. tome. I. Trad. M. Rubel e J. Malaquais. Paris: Gallimard, 1968, pp. 295 e ss.; MARX, Karl. "Le Capital", Livre I. *In:* _____. *Oeuvres*: économie, 2. tome I. Trad. M. Rubel e J. Malaquais. Paris: Gallimard, 1968, pp. 853 e ss. e 1096; MARX, Karl. *Le Capital*, Livre III. Trad. G. Badia e C. Cohen-Solal. Paris: Éditions sociales, 1976, pp. 998, 1014, 1327 e 1457 e ss. Cf.: ESTABLET, Roger. "Présentation du plan du Capital". *In*: ALTHUSSER, Louis; BALIBAR, Étienne; ESTABLET, Roger; MACHEREY, Pierre; RANCIÈRE, Jacques. *Lire Le Capital*. Paris: PUF, 1996, pp. 612 e ss., 629 e ss.

167 N.T.: C = capital constante, v = capital variável.

168 MARX, Karl. "Salaire, prix et plus-value". Trad. L. Évrard. *In:* _____. *Oeuvres*: économie, 1. tome I. Trad. M. Rubel e L. Évrard. Paris: Gallimard, 1968, pp. 531 e ss; MARX, Karl. *Le Capital*, Livre III. Trad. G. Badia e C. Cohen-Solal. Paris: Éditions sociales, 1976, pp. 1000-1014. Cf.: MARX, Karl. "Principes d'une critique de l'économie politique [extraits des Grundrisse]". *In:* _____. *Oeuvres*: économie, 2. tome. I. Trad. M. Rubel e J. Malaquais. Paris: Gallimard, 1968, pp. 269 e ss.

3. A lei desse Estado de guerra: a guerra preventiva. Toda concorrência é preventiva. A psicologia "livre" do homem que "deseja se enriquecer" ou que "busca o lucro" não é senão o movimento[169] de uma lei inconsciente: siga ou morra. Lei do Estado de guerra.

A teoria burguesa não sai daí.

O "desejo de enriquecer-se" ou a "concorrência" de Hobbes podem ser sublimados no "orgulho" da busca pela "glória", da qual Hegel fará o "reconhecimento de si", o "desejo de ser desejado", o "desejo de ser reconhecido" (naturalmente com o fim, a morte).

A teoria-hipótese sobre a concorrência exposta acima supõe, evidentemente, que se tenha "acertado sua conta" com uma questão prévia de muitíssima importância: aquela da instalação de um modo de produção, no caso, o modo de produção capitalista.

Ela supõe:

1. que se tenha certa ideia do que é existir só para um modo de produção: condições de sua existência – de sua reprodução durável – e da relação dessa existência com a não existência. Dito de outra maneira, que se tenha claro o fato de que um modo de produção pode não existir, pode existir e perecer desde que apareceu, ou, ao contrário, fortificar-se e seguir seu destino histórico. Isso supõe toda uma teoria das condições de existência que seja, ao mesmo tempo, uma teoria das condições de não existência ou da desaparição de um modo de produção. Pois nós raciocinamos sempre sobre o fato consumado e nada mais. Como esse fato deveio consumado? Tudo está aí. Ao passo que o modo de produção capitalista já morreu muitas vezes antes de subsistir tal como nós o conhecemos, antes de "pegar" no modo de produção feudal ou outros.

---

169 O datilografado traz "o mt". Para Althusser, "mt" significa, normalmente, "movimento". É possível que ele quisesse escrever "a manifestação" [*la manifestation*].

2. que se tenha renunciado de uma vez por todas à teoria dos pequenos produtores independentes como a origem do capitalismo. Esses são pequenos produtores feudais, e não capitalistas. O capitalismo veio de outro lugar: dos "possuidores de dinheiro" (Marx).[170] Pois caímos, então, muito facilmente na ilusão de crer que esses pequenos produtores independentes são "naturalmente" (segundo a boa ideologia burguesa do capitalismo) "concorrentes" num mercado idílico.

3. que se tenha assimilado o que diz Marx[171] muitas vezes em *O Capital*, e que é, de fato, a teoria do reconhecimento capitalista do fato consumado, a saber, que o modo de produção capitalista cria ele mesmo a sua própria base, isto é, reproduz-se = existe. (Reencontrar esses textos de Marx e interpretá-los como reprodução de si = existência).

Quando o modo de produção capitalista existe, ele "funciona" tal como Marx o analisa, à baixa tendencial da taxa de lucro (isto é, ao efeito econômico da luta de classes), e a concorrência não é, então, senão um efeito subordinado, efeito-causa decerto, mas efeito subordinado.

No nascimento de um modo de produção como o modo de produção capitalista, pode-se sempre se perguntar: mas por que e como ele nasceu? E recaímos sempre sobre os mesmos sortilégios

---

170 Nas versões alemãs do Livro I de *O Capital*, Marx serve-se do termo *Geldbesitzer* ou *Besitzer von Wert oder Geld* (K. Marx et F. Engels, *Werke*, tome XXIII. Berlin: Dietz, 1972, pp. 121, 181, 183, e 189 etc.). Encontra-se *homme aux écus* ["possuidor de dinheiro"] na tradução francesa de *O Capital* de Joseph Roy (Paris, Lachâtre, 1872-1875), cujo manuscrito foi revisto por Marx.

171 MARX, Karl. "Le Capital", Livre I. *In*: ______. *Oeuvres*: économie, 2. tome I. Trad. M. Rubel e J. Malaquais. Paris: Gallimard, 1968, pp. 1066 e ss; MARX, Karl. *Le Capital*, Livre III. Trad. G. Badia e C. Cohen-Solal. Paris: Éditions sociales, 1976, pp. 1402 e ss. Cf.: MARX, Karl. "Principes d'une critique de l'économie politique [extraits des Grundrisse]". *In*: ______. *Oeuvres*: économie, 2. tome. I. Trad. M. Rubel e J. Malaquais. Paris: Gallimard, 1968, pp. 232/233.

burgueses (o trabalho etc.). Mas se saímos daí, ficamos muitíssimo embaraçados. Por que esse modo de produção nasceu? Por que o trabalho assalariado?

Ao que se pode responder pela resposta de Marx: o encontro[172] de possuidores de dinheiro, portanto, de uma acumulação podendo formalmente funcionar como capital, de um lado, e "trabalhadores livres", de outro. E, de certa maneira, isso basta a fim de responder à questão, a partir da constatação que o dito encontro produziu o fato consumado do capitalismo existente, isto é, reproduzindo-se.

Mas, detrás dessa explicação, há também outro fato consumado: a saber, que a relação de produção salarial é a solução à "crise" da relação de produção servil no seio de uma sociedade de exploração. Em suma, uma relação de exploração substitui-se por uma relação de exploração como solução à "crise" histórica da primeira. Esses senhores não saem das relações de exploração. Como prova: a "boa" revolução inglesa, amigos, todos amigos entre exploradores ao antigo e novo estilo.

Daí a ideia de que a passagem ao comunismo não poderia em nenhum caso representar uma solução à "crise" da relação de produção capitalista. E por uma boa razão: é que as "crises" capitalistas se resolvem totalmente sozinhas (inclusive sob a forma de guerras imperialistas), ou produzem, não as dóceis galinhas que nada podem, mas aqueles "gansos" que são as revoluções proletárias!

Quando o Partido diz que o Programa comum[173] traz uma solução à "crise do capitalismo monopolista de Estado", ou ele diz a verdade, e é um programa burguês, ou então deve dizer que

---

172 MARX, Karl. "Le Capital", Livre I. *In*: ______. *Oeuvres*: économie, 2. tome I. Trad. M. Rubel e J. Malaquais. Paris: Gallimard, 1968, pp. 715 e ss., 941 e 1072.

173 Programa do governo do Partido Comunista Francês, do Partido Socialista e dos Radicais de esquerda, assinado pelos Comunistas e pelos Socialistas em junho de 1972 e pelos Radicais de esquerda em setembro.

ele traz perspectivas aos trabalhadores, não para resolver a crise do regime capitalista, mas para sair desse regime, pondo-lhe fim. E isso, isso pode dizer-se encontrando as palavras, mesmo para considerar a famosa "transição" (democracia nova).[174]

* * *

Tome, em princípio, um capitalista suficientemente honesto para que se deixe interrogar e reconhecer que ele é levado a aumentar indefinidamente sua fortuna, sem trégua nem fim. E pergunte-lhe *por que* ele cede a essa tendência irresistível. Você obterá, na ordem (a desordem seria seu outro: o mesmo), as respostas seguintes:

1. O capitalista *psicólogo* lhe dirá: eu sou ávido de riquezas, sou feito de tal maneira que tenho sede de ouro, e que minha sede de tal maneira é feita que ela atiça minha sede, por mais que ela seja apaziguada. Conhecemos a história do mar: por que ele não transborda? Resposta: porque há no mar um número considerável de peixes, os quais bebem muitíssima água, e como ela é salgada, eles sempre têm sede (de ouro). Trégua do jogo. A psicologia, que envesga sempre para o lado da filosofia e da religião, responde: está na natureza das coisas e do homem, o homem é um ser de desejo, portanto insaciável, pois o desejo é infinito. Tudo quanto há de filósofos no mundo, desde Aristóteles falando da crematística,[175] até Pascal e tantos outros o sabem: é porque é finito que o

---

174 Palavra de ordem lançada pelo PCF desde antes da assinatura do Programa comum a fim de caracterizar o regime que a União da esquerda deveria implementar numa fase transitória para o socialismo. Assim, G. Séguy (cf.: p. 107, n. 114) caracterizava a democracia nova como "uma democracia progressista que gerirá os assuntos públicos no interesse do povo e sob seu controle efetivo". *Georges Séguy répond à 20 questions*, Supplément *à La Vie ouvrière*, 20 janvier 1971, nº 1377, Montreuil, CGT, 1971, réponse à la question nº 6.

175 ARISTÓTELES. *Politique*, 1256 a - 1259 a; ARISTÓTELES. *Éthique à Nicomaque*, 1130 b - 1133 b.

homem é condenado ao "mau infinito" (Hegel)[176] do desejo. E eis porque – a culpa da natureza humana – o capitalista enriquece-se sempre mais antes que perca o sono e o desejo.

2. O capitalista *filósofo* (um nível mais elevado) instruído de Hobbes e de Hegel, dir-lhe-á: mas, meu querido, a natureza não se erige senão por seu "ultrapassamento!"[177] Esse desejo que você crê tratar de simples *coisas*, como os bens, a riqueza ou o poder (simples meio de adquirir-se os bens, ou os homens que adquirem os bens), tem-se infinitamente mais elevado! Por exemplo: se alguém caça o ouro, é menos para satisfazer uma necessidade (ou desejo) de riquezas ou de potência (pois nessas matérias tudo tem seu limite, e se seu desejo é infinito, o homem não o é) que para buscar um bem totalmente outro: a consideração de seus semelhantes, o que Hobbes chama de "glória", e Hegel, de "reconhecimento". Corrida pela riqueza e corrida pelo poder (seu meio) não são, pois, senão o desvio *obrigatório* que toma uma lei a fim de impor-se aos indivíduos humanos. De fato, observe: o rico não se enriquece senão às custas de outro homem, o potente não devém potente senão às custas de um terceiro. É a concorrência universal que rege o mundo, e os homens não são aí senão as marionetes. Não a concorrência a fim dos bens e do poder, alto lá! Mas a concorrência em um desejo mais secreto e elevado: aquele da glória e do reconhecimento. O homem não quer senão ser considerado e reconhecido pelo que ele é: mais digno que os outros (Hobbes), ou simplesmente livre, através das figuras do senhor e do escravo (Hegel). A concorrência a fim dos bens e do poder não é, pois, senão o meio e o pretexto de outra concorrência, pela qual cada homem espera daqueles que ele domina o reconhecimento de sua "glória" ou de sua "liberdade". Por isso a sede insaciável de riquezas torna-se um negócio totalmente espiritual, em que o homem pode, orgulhosamente, elevar-se por ser dotado de uma natureza tão digna que o põe centenas de pés

---

176 HEGEL, Georg. *Science de la logique*. Trad. G. Jarczyk e P.-J. Labarrière. tome I. Paris: Aubier- Montaigne, 1972, p. 115.

177 N.T.: *Dépassement* traduz *Aufhebung*, cf.: N.T., p. 66, nota 66.

acima das baixas paixões que lhe atribuímos. Tem-se a beleza de ser burguês, tem-se seu orgulho.

3. O capitalista *realista* (um nível teoricamente mais elevado), melhor instruído de Hobbes, dirá: busca da "glória" é uma coisa! O que importa é outra coisa: é essa lei que força todos os homens à sua busca, e nisto não poupa ninguém. Pois como, então, os homens são levados a essa busca furiosa, e por qual força? Decerto, eles começam todos por desejar os bens e mais tarde a glória, mas que eles os desejem *todos* por tão semelhante desejo quanto esse desejo os ultrapassa e os rege e que eles estejam todos, sem exceção, engajados na corrida, eis o que merece explicação. É que, sem que eles saibam, eles desencadeiam, chegado o momento, a potência de uma lei que anula sua origem: a guerra universal, a guerra de todos contra todos. Todo o mistério da coisa dá-se nessa conversão: indivíduos desejantes, cada qual por [sua] pequena conta, bens, e subitamente todos juntos lançados numa guerra tão universal que ela se torna um Estado de guerra. Isto é, um Estado de relações tais que, a cada instante e em cada lugar, a guerra pode incendiar-se (é como o mau tempo, escreve Hobbes: não chove sempre nem ubiquamente, mas a qualquer instante e em qualquer lugar pode chover) pelo ataque de um contra o outro.[178] Instaurado esse Estado de concorrência universal, bem chamado de Estado de guerra, e de todos contra todos, isto é, do primeiro vindo contra o segundo, as coisas convertem-se uma segunda vez. O medo de ser atacado faz assumir as dianteiras, e a guerra revela-se o que ela é: a essência de toda guerra é ser *preventiva*. Por aí está acabado o quadro da concorrência.

Viremos as cartas na mesa.

A ideologia burguesa pode dar-se uma representação "psicológica" da "valorização do valor", da "busca frenética do lucro" pelo capitalista. Isso não vai longe, pois a famosa "natureza

---

178 HOBBES. *Léviathan*. Trad. F. Tricaud e M. Pécharman. Paris: Vrin, 2004, p. 107.

humana" que lhe serve de fiador sofre, como que por acaso, de estranhas exceções: aquelas de modos de produção conhecidos em que essa busca frenética do lucro está ausente (nas sociedades sem classe e nas partes de modos de produção não afetados pelas relações mercantis).

A ideologia burguesa pode também dar-se o luxo de "sublimar" a concorrência material entre capitalistas numa teoria filosófica do reconhecimento de si.

Mas ela termina sempre por recair no que consiste o seu fundamento: uma teoria do Estado de guerra, ou da concorrência. É, então, a lei de ferro da concorrência que entra em cena, e governa os indivíduos concorrentes. Essa franca teoria, contudo, não vai muito mais longe. Pois se ela reconhece que uma necessidade preside os conflitos da concorrência, essa necessidade jamais é senão o conceito da universalidade dos conflitos e de seu retorno imediato: da defesa ao ataque, pela *prevenção*.

É, contudo, assim que se poderia estar tentado a explicar, mas sobre o modo burguês, a tendência capitalista à acumulação, ou ainda, a tendência capitalista a agravar a exploração. Dir-se-á, por exemplo, que essa irresistível tendência nasce da concorrência entre capitalistas. Alguém, quem explora seus operários e encontra seus adversários ao mesmo tempo no mercado de meios de produção, no mercado de trabalho e no mercado de mercadorias, temendo desaparecer sob a concorrência dos outros, pôr-se-á muito naturalmente a explorar *preventivamente* ainda mais seus operários, para ser forte o suficiente amanhã, na adversidade. E cada um fazendo o mesmo de seu lado, não há nenhuma razão para que cesse a intriga. Daí resultará o que se observa nos fatos, a tendência a extrair o máximo de mais-valor, a aumentar mais e mais a jornada de trabalho; a intensificar mais e mais o trabalho (desenvolvimento da produtividade), a acumular mais e mais sobre o modo capitalista (a fim de extrair mais e mais mais-valor). E pensaremos ter tocado o fundamento das coisas e fornecido a razão dessa estranha tendência.

Observando isso mais de perto, contudo, essa guerra preventiva a que se entregam os capitalistas é uma singular guerra! É sabido que, como em toda guerra, mesmo de todos contra todos, ela opõe aqueles que se combatem. Ora, aqueles que se combatem, isto é, os capitalistas, não se afrontam realmente, uma vez que eles passam seu tempo a se precaver contra os ataques por medidas preventivas. Na guerra de Hobbes, poder-se-ia crer que se trataria de ataques reais e que se atacaria realmente por prevenção, para não ser atacado. Aqui também: mas, no lugar de atacar-se realmente e por prevenção, somente fortalece-se e por prevenção, para não cair. Certamente, há vítimas, falências, os deixados para trás. Mas o corpo dos capitalistas sai-se aí, no conjunto, bastante bem, a tal ponto que Marx diz da concorrência que ela lhes é normalmente "amigável",[179] menos a regra da guerra que eles se fazem que da guerra que eles não se fazem. Esse Estado de guerra seria, então, um Estado de paz? Juro, para a classe capitalista em seu conjunto, sim.

Mas, então, onde está a guerra? Alhures. Ela está entre os capitalistas e seus operários. Pela concorrência, a classe capitalista ajusta suas contas, mais do que as acerta – mas detrás da concorrência, da qual Marx[180] diz que é uma "ilusão", a classe capitalista conduz uma verdadeira guerra contra a classe operária. Pois, enfim, ao pé da letra, essa teoria da guerra preventiva faz aparecer que a prevenção bem conduzida poupa ao capitalista a guerra contra o capitalista: mas que a prevenção recai inteira sobre a classe operária, que a prevenção da pseudoguerra entre capitalistas é uma guerra permanente contra a classe operária. Nisso a guerra não é totalmente universal, de todos contra todos, como o queria Hobbes, mas da classe capitalista contra a classe operária. A guerra que a classe capitalista conduz contra a classe operária

179 MARX, Karl. *Le Capital*, Livre III. Trad. G. Badia e C. Cohen-Solal. Paris: Éditions sociales, 1976, p. 989. "(...) une véritable franc-maçonnerie en face de l'ensemble de la classe ouvrière". ["(...) uma verdadeira franco-maçonaria em face do conjunto da classe operária"].

180 Cf. p. 154, n. 166.

permite, portanto, ao capitalista, viver em paz. Enganamo-nos de guerra. Tínhamos tomado a concorrência por uma guerra. Tínhamos esquecido a luta de classes.

E eis a raiz de tudo: certa representação da história do capitalismo, uma representação *burguesa* da história do capitalismo.

Eu disse alhures no que o mito do "pequeno produtor independente" como constituindo a essência consubstancial do capitalismo e de sua origem assombrava toda a representação burguesa do capitalismo. Às origens teria havido indivíduos trabalhando por sua conta com seus meios de produção. A partir de certo nível de desenvolvimento das forças produtivas, sua produção teria tornado-se parcialmente mercante (pela troca de excedentes), e daí teria resultado uma primeira acumulação. Os mesmos pequenos produtores independentes, tornados escambistas[181] enriquecidos, teriam ofertado aos infelizes sem teto e sem nada (salário) em troca de seus braços servindo seus meios de produção – e assim teriam se tornado capitalistas, sua produção tornando-se totalmente mercantil. Esse processo contínuo teria chegado naturalmente (tudo é natural nessa história), desde as primeiras formas de existência da produção mercantil e cada vez mais, à medida de sua extensão, à concorrência de pequenos produtores mercantes tornados capitalistas, nos diferentes mercados de mercadorias, de meios de produção e, finalmente, de capitais. A lei da concorrência teria de [alguma] maneira muito naturalmente "sucedido" a lei natural do trabalho, da produção e da troca vantajosa dos primeiros excedentes, para acelerar o curso das coisas, eliminar os fracos, reforçar os fortes, aumentar a exploração (sobre isto, preferimos nos calar), provocar a concentração, fazer nascer monopólios etc. É preciso falar somente de "sucessão"? A lei da concorrência [não é], nessa hipótese, senão a lei da pequena produção mercantil independente continuada por outros meios, ou antes, sob outras formas – pois haveria algo de mais natural que esse confronto entre forças reais, donde vem sua verdade?

---

181 N.T.: Em francês, *échangistes*, "os que fazem trocas".

Barbárie? O fascismo foi sua primeira forma

O que é o imperialismo? "O estágio supremo do imperialismo" (Lênin).

Todo mundo conhece a fórmula. Mas como disse Hegel,[182] são as coisas "mais conhecidas" que são as menos conhecidas. Justamente porque elas são as mais familiares.

Assim é essa fórmula de Lênin. O que ela significa com exatidão?

Ela tem toda uma história! Quando, em 1916, Lênin redigiu sua pequena brochura sobre o imperialismo (não é senão uma pequena brochura, nada mais, escrita com pressa e sobre os únicos documentos dos quais ele dispunha, e redigida sob censura, portanto, numa "língua de eslavo"),[183] ele deu-lhe o título: "O imperialismo, estágio supremo do capitalismo".[184] "Supremo" traduz uma palavra russa que quer dizer "o maior, o mais alto", portanto, "o ponto culminante". Encontramos essa palavra no manuscrito de Lênin. Depois Lênin teve, como sabemos, outra coisa para fazer. E quando, em 1917, o tzarismo caíra, e os mencheviques de Kerensky [tomaram o] poder, aconteceu que se editou a pequena brochura de Lênin. Os bravos mencheviques introduziram uma pequenina modificação no título: eles substituíram a palavra russa que significa "o ponto culminante" por outra palavra que significa "o mais recente, o último quanto à data". A brochura de Lênin foi

---

182 HEGEL, Georg. *Phénoménologie de l'esprit*. Trad. P.-J. Labarrière e G. Jarczyk. Paris: Gallimard, 1993, p. 45. "Le bien connu en général, pour la raison qu'il est bien connu, n'est pas connu" ["O mais conhecido em geral, pela razão dele ser mais conhecido, não é conhecido"].

183 LÉNINE, Vladmir I. *Oeuvres*. tome XXII. Paris/Moscou: Éditions sociales/ Éditions du Progrès, [s.d.], p. 203.

184 "Империализм как высшая стадия капитализма", título com o qual o texto foi publicado na URSS a partir de 1920.

assim publicada sob o título: "O imperialismo, o último quanto à data dos estágios do capitalismo".[185] Nuance.

O último em data não é forçosamente o último. É somente o último em data. Outros estágios do capitalismo podem ainda suceder ao último estágio em data, o imperialismo: eles têm sua chance! Por aí nossos mencheviques, servindo-se politicamente do adjetivo, marcavam suas distâncias com relação a esse pobre Lênin, quem, tratando o imperialismo como o estágio culminante do capitalismo, não dava nenhuma chance para um estágio ulterior.

Eis, por exemplo, toda uma pequena coisa que não é conhecida, mas que diz muito.

Para Lênin, não há outro estágio do capitalismo após o imperialismo. O imperialismo é, pois, o último estágio, e não o "último em data". O último *tout court*. Isso quer dizer: o capitalismo tem uma história; ele começou, desenvolveu-se, cresceu; e eis aqui, chegamos ao seu último estágio, o imperialismo. Depois, é o fim. Isso aí é o fim do capitalismo. Depois, é o quê? O socialismo, evidentemente.

Sim e não. Pois Lênin não escreveu que o imperialismo era o "último estágio" do capitalismo. Ele escreveu que ele era o "estágio culminante" ("supremo" não é uma boa tradução). Isso quer dizer, decerto e sem nenhuma dúvida, que o imperialismo bem é o último estágio do capitalismo, mas também alguma coisa mais e muito interessante: que o imperialismo é o ponto "culminante" do capitalismo, portanto, que "depois" disso não pode haver, se o imperialismo durar, senão a decadência. Justamente o que Lênin[186] chama de "apodrecimento", a "putrefação", a qual está desde então inscrita no imperialismo. Pois esse estágio "culminante" é já o estágio do "apodrecimento", do "parasitismo" e da "putrefação".

---

185 "Империализм как новейший этап капитализма".

186 LÉNINE, Vladmir I. *Oeuvres*. tome XXII. Paris/Moscou: Éditions sociales/ Éditions du Progrès, [s.d.], pp. 297 e ss.

Eis o que permite precisar o "depois". Não é preciso representar-se a história do capitalismo como uma viagem: depois de ter atravessado uma série de estações (de estágios), o trem do capitalismo chegaria ao imperialismo como o Paris-Marseille chega à estação Saint-Charles. Terminal! Todo mundo desce! Ou, para chamar as coisas pelo seu nome, o imperialismo não é o último estágio do capitalismo no sentido em que: depois, findou, é o fim do capitalismo – e é o quê? O socialismo. Não. Findou, mas não acabou, pois pode durar ainda muito. Se não se passa ao socialismo, a putrefação acentuar-se-á, e a podridão alastrar-se-á. Ela poderá tomar formas horripilantes, das quais o apodrecimento de certos modos de produção na história (a "decadência de Roma") pode dar uma vaguíssima ideia. Se não se passa ao socialismo, será, em suma, a "barbárie". Indo ver de perto o adjetivo de Lênin, encontramos o velho dito de Engels:[187] *socialismo ou barbárie*. Sim, as coisas são assim, o imperialismo é assim feito, ou seja, ele impõe à luta de classes tal forma que estamos diante de uma "bifurcação", a "encruzilhada dos caminhos": ou a classe operária chega, pela sua luta de classe, a impor o socialismo, e nós nos engajamos então na Longa Marcha que, pela ditadura do proletariado, conduz ao comunismo, ou ela fracassa (por um tempo ou para sempre), e somos condenados à "barbárie", ou seja, às formas de decomposição e de putrefação do próprio imperialismo.

Decerto, "ou, ou" não se dá num instante: se a classe operária ainda não alcançou o socialismo em tantos países, nosso destino não está selado a despeito disso. Mesmo se ela o tenha perdido, a classe operária poderia ainda retomar a iniciativa. Mesmo se seu combate ainda não alcançou o nível da tomada do poder do Estado, os imensos movimentos de massa em curso no mundo inteiro e em nosso país permitem pensar que a classe operária tem a força de conduzir seu combate até a vitória. E temos todos os motivos para pensar que, se ainda é preciso passar por certo período de sobreapodrecimento do imperialismo (a crise cada vez

187 Cf.: n. 89, p. 87.

mais profunda, dele sendo o primeiro signo precursor), a luta da classe operária, bem conduzida, imporá finalmente o socialismo e evitará a "barbárie".

Mas ainda nesse caso, e justamente nesse caso, a palavrinha de Lênin (o "estágio culminante"), aproximada da palavra de Engels ("socialismo ou barbárie"), lança uma singular luz sobre o imperialismo, de um lado, e sobre o advir, de outro. Sobre o imperialismo: que ele já é podridão e que pode apodrecer de pé indefinidamente, cada vez mais, até à "barbárie". Sobre o advir: esse será ou o socialismo, ou a barbárie, à medida que a classe operária e seus aliados tomarão o poder ou padecerão indefinidamente da dominação da classe burguesa – portanto, segundo a maneira em que a luta de classe operária poderá ser conduzida à vitória seguindo uma linha de massa justa e observando práticas de massa justas. Maneira de retomar, para nosso advir e, pois, também nosso presente, a dupla sentença do *Manifesto*: "a história é a história da luta de classes"; "a luta de classes é o motor da história".

Que essa sentença se dirija diretamente a nós, militantes do movimento operário nacional e internacional, ninguém duvida disso. E se nós já não o sabemos, "usemos nossas cabeças"[188] a fim de saber o que nos resta a fazer.

Todavia, que essa sentença também se dirija ao imperialismo, é uma coisa que ou é "muito conhecida", ou não é conhecida. E se ela for "muito conhecida", talvez seja porque ela não seja (sempre) conhecida. Quero dizer: a luta de classes, que é o "motor da história" das sociedades de classe em seu conjunto, é também o motor da história do capitalismo: ela é também o motor desse último estágio culminante do capitalismo, que é o imperialismo.

É a única coisa que este pequeno livro pretende mostrar: só *a luta de classe e o motor da história do capitalismo, portanto,*

---

188 Palavra de ordem dirigida aos militantes do Partido Comunista Francês em 1973 por Georges Marchais, Secretário geral do partido à época.

também de seu estágio imperialista. Uma coisa elementar. Aqueles a quem ele não ensinará nada (quer aqueles que o saibam, quer aqueles que pensam sabê-lo, quer aqueles que o desprezam) podem fechar este livro em plena (boa) consciência. Os outros podem lê-lo.

O autor demanda grandíssima indulgência, pois não leu todos os livros sobre o imperialismo! Há tantos deles e de tão gabaritados e escritos por especialistas da economia! Ele consola-se pensando que Lênin não consagrou a essa grande questão senão uma pequena brochura e que Lênin não era mais economista que Marx. Quando se pode abrigar sob tão grandes exemplos, vem um tipo de coragem. Ainda mais que se trata simplesmente de explicar novamente o que Marx e Lênin já muito bem nos explicaram. Tendo talvez a audácia – isto é, "a fraqueza de ceder à força das consequências" (Rousseau)[189] – de prolongar um ou dois de seus raciocínios.

Sei que alguns se apressarão, para se assegurarem em suas garantias, a tomar essa audácia por temeridade. Mas quem não arrisca nada tem, nas ciências como na luta de classes. Queiram reler algumas citações de Dante que Marx[190] destacou na *Contribuição*, a fim de previamente advertir certos acerbos críticos do que ele pensava deles:

> Com este esboço do curso de meus estudos sobre o terreno da economia política, quis mostrar somente que minhas opiniões, de qualquer maneira aliás que se as julgue e pelo tão pouco que elas concordam com os preconceitos interessados das classes reinantes, são o resultado de longos e conscienciosos estudos. Mas no pórtico da ciência como no pórtico do inferno, esta obrigação impõe-se.

---

189 ROSSEAU, Jean Jacques. *Émile*. *In*: _____. *Oeuvres completes*. tome IV. Ed. B. Gagnebin e M. Raymond. Paris: Gallimard, 1969, p. 477.

190 MARX, Karl. "Avant-propos". *In*: ______. *Contribution à la critique de l'économie politique*. Trad. M. Rubel e L. Évrard. Paris: Gallimard, 1859, p. 275. Trata-se das últimas do "Avant-propos".

Qui si convien lasciare ogni sospetto
Ogni viltà convien che qui sia morta.[191]
(Para entrar nesse lugar, é preciso despojar-se de toda suspeita
e tratar (ter tratado) a baixeza pela morte)
(Eis o lugar de despojar-se de toda suspeita
e de tratar toda baixeza pela morte).[192]

191 N.T.: "Aqui se convém deixar toda suspeita / Toda vileza convém que aqui morta seja". Considerando que "sospetto" também é "temor".

192 As duas traduções encontram-se no datilografado.

Sobre alguns erros e ilusões burguesas

Quando se está em face do imperialismo como nós estamos hoje e quando se fala do imperialismo, é preciso saber e é preciso fazer entrar na cabeça, dez e cem vezes, a ideia seguinte: a maior ilusão que pode afetar a representação que se faz do imperialismo é ainda e sempre a mesma ilusão que Marx não parou de denunciar no que concerne ao capitalismo em geral.

E é preciso saber que Marx denunciou essa ilusão como uma ilusão *tipicamente burguesa*, colando à pele dos capitalistas como a miséria à pele do pobre mundo, por causa da natureza do próprio capitalismo, que não dá outra saída além dessa ilusão burguesa.

E eis essa ilusão.

Essa ilusão é que tudo o que se passa, então, tudo o que existe, é *natural*. O capitalismo existe: é natural, está na natureza das coisas. O imperialismo existe: é natural, está na natureza das coisas. A ideologia burguesa não se espanta com a existência do capitalismo: é natural. E por que é natural? Porque está "na natureza das coisas"[193] que o capital produza lucro etc., que o capital seja remunerado pelo lucro, assim como o trabalhador é remunerado

---

193 Primeiro ensaio de redação de *La Guerre civile en France*, de Marx; LÉNINE, Vladmir I. *Sur la commune*. Moscou: Éditions du progrès, 1971, p. 166. "De même que [les gens complètement ignorants du système économique en vigueur] défendent maintenant la 'bienfaisance' de la domination du capital et du système du salariat, de même, s'ils avaient vécu à l'époque féodale ou à l'époque de l'esclavage, ils auraient défendu le système féodal et le système esclavagiste, en disant que ces systèmes sont fondés sur la nature des choses, nés spontanément de la nature même". ["Assim como [as pessoas completamente ignorantes do sistema econômico em vigor] defendem agora a 'caridade' da dominação do capital e do sistema assalariado, assim também, se eles tivessem vivido na época feudal ou na época da escravidão, eles teriam defendido o sistema feudal e o sistema escravagista, dizendo que estes sistemas são fundados na natureza das coisas, nascidos espontaneamente da própria natureza"]. Cf.: MARX, Karl. "Le Capital", Livre I. *In*: ______. *Oeuvres*: économie, 2. tome I. Trad. M. Rubel e J. Malaquais. Paris: Gallimard, 1968, p. 616.

pelo salário etc., que cada um toque à proporção do que traz na produção, o capitalista em função de seu capital, o proprietário fundiário ou imobiliário em função de sua propriedade, os bancos em função do crédito que eles abrem, e o trabalhador em função de seu "trabalho". E se cavarmos mais ainda, se dissermos: mas isso não foi sempre assim, se franquearmos as defesas da ideologia burguesa da "natureza das coisas", fazendo-a notar que a natureza das coisas variou e, pois, que ela pode variar, então nos deparamos com a última das últimas respostas: é assim porque é assim. O fato consumado.

Não é preciso criar-se ilusões. Há certa maneira marxista *de acomodar* essa ilusão burguesa, adornando-a com terminologia marxista. Decerto, explicar-se-á que o modo de produção capitalista é um modo de produção "transitório" (Marx),[194] que sua "historicidade", sua precariedade, pois, estão inscritas em sua "estrutura" (Marx), porque essa "estrutura" é afetada por contradições mortais. Aparentemente, então, ter-se-á renunciado ao argumento da "natureza das coisas", uma vez que se terá mostrado que as coisas (nesse caso, o modo de produção capitalista) nasceram na história, têm uma história e, pois, vão ter um fim e dar lugar, após uma longa transição, a um modo de produção totalmente outro, no qual não haverá mais classes (o modo de produção comunista). Aparentemente, a história tomou o lugar da "natureza das coisas", e detrás dessa grande substituição, a realidade do processo de produção que é, ao mesmo tempo, um processo de exploração capitalista, aparecerá: é um processo de produção que é, ao mesmo tempo, um processo de exploração. Detrás das aparências "naturais" do "é normal que cada um receba em função do que traz, o capitalista um lucro, o banqueiro um juro, o proprietário fundiário ou

---

194 MARX, Karl. "Principes d'une critique de l'économie politique [extraits des Grundrisse]". *In:* _____. *Oeuvres*: économie, 2. tome I. Trad. M. Rubel e J. Malaquais. Paris: Gallimard, 1968, p. 285; MARX, Karl. "Le Capital", Livre I. *In:* _____. *Oeuvres*: économie, 2. tome I. Trad. M. Rubel e J. Malaquais. Paris: Gallimard, 1968, p. 1095; MARX, Karl. *Le Capital*, Livre III. Trad. G. Badia e C. Cohen-Solal. Paris: Éditions sociales, 1976, pp. 1025 e 1476.

imobiliário uma renda e o trabalhador um salário", descobrir-se-á o que Marx mostrou: o mais-valor extorquido na produção pela submissão da classe operária à exploração e a "divisão" desse mais-valor em lucro de empresa (industrial ou comercial) em juro do dinheiro (crédito bancário etc.), em renda fundiária (agrária ou imobiliária) e em salário. Detrás dessa fachada da "natureza das coisas", descobrir-se-á, pois, na base de tudo, o processo de exploração da classe operária pela classe capitalista, portanto o processo da luta de classe, capitalista e operária.

Mas ainda aí as coisas podem retroceder, muito sutilmente decerto, mas mesmo assim retroceder. É preciso saber, de uma vez por todas, que a classe capitalista é assim feita (e é o modo de produção capitalista que a faz tal como ela é feita), [tal que ela] jamais larga sua presa, pois ela não pode largá-la sem suicidar-se, e que o modo de produção capitalista, não mais que qualquer outro modo de produção no mundo, não é um modo de produção suicida para a classe que se beneficia de sua exploração. A classe capitalista jamais largará sua presa. Isso quer dizer em última instância: ela jamais largará a classe operária, ela jamais cessará por si mesma de explorá-la, ela jamais cessará por si mesma de levar contra a classe operária a luta de classe a mais consequente que seja, da exploração até as formas as mais sutis da opressão política, da intimidação e da chantagem ideológica. E dentre outras consequências, isso quer dizer que jamais a ideologia burguesa largará sua presa, a própria classe operária, mas que irá persegui-la até nas organizações da luta de classe que a segunda se deu e se dá, e até na teoria da luta, científica, filosófica, conquistada pela classe operária para conduzir sua própria luta de classe. Jamais a classe capitalista renunciará a impor sua dominação até nas teorias e na ideologia da classe operária, para tirar-lhe das mãos e da cabeça as próprias armas que a última se deu a fim de conduzir sua luta de classe à vitória.

Essa ação (provisoriamente e cronicamente, pois sempre repetida, sempre retomada) da classe capitalista para desarmar a classe operária em sua linha política de luta, em suas organizações, em sua teoria e sua ideologia, o movimento operário dela teve a longa e dura experiência, paga com enorme preço. Nomes lhe são dados: o reformismo e o revisionismo.

Não é preciso representar-se esse empreendimento de subversão, de contorno e de desvio da luta de classe operária pela luta de classe capitalista como o empreendimento "mais meditado da história do gênero humano" (Rousseau),[195] como concebido pelos cérebros pensantes da classe capitalista com fins estratégicos e táticos refletidos. Certamente, os homens políticos que representam a classe burguesa e exercem o poder de Estado em nome da classe burguesa em seu conjunto estão aí para isso e eles fazem o que é preciso, isto é, o que podem, conscientemente, deliberadamente. Mas eles nada mais fazem além de servir (por vezes habilmente, mas por vezes também desajeitadamente, pois não conhecem "a lei" do sistema, visto que não querem, não podem reconhecê-la) um sistema que opera sozinho e inspira-lhes seus pensamentos os mais "conscientes".

É, com efeito, uma concepção 100% burguesa da luta de classes, tanto capitalista quanto operária, representar-se essa luta como a luta de "sujeitos" conscientes, agindo num campo de batalha tão liso quanto uma planície, em geral, a cavalo e armados de lunetas, tomando tal ou tal medida em função do movimento adversário. Ainda uma vez, esse gênero de "fenômeno" existe, mas é a própria ilusão burguesa, sobretudo crer que ele é determinante em última instância. As classes não são "sujeitos", ainda

---

195 ROSSEAU, Jean Jacques. "Discours sur l'origine et les fondements de l'inégalité parmi les humains". *In*: _____. *Oeuvres complètes*. tome III. Ed. B. Gagnebin e M. Raymond. Paris: Gallimard, 1964, p. 177. "(...) le riche pressé par la nécessité, conçut enfin le projet le plus réfléchi qui soit jamais entré dans l'esprit humain: ce fut d'employer en sa faveur les forces mêmes de ceux qui l'attaquaient, de faire ses défenseurs de ses adversaires (...)". ["(...) o rico pressionado pela necessidade, concebeu, enfim, o projeto o mais pensado, o qual jamais tinha entrado no espírito humano: este foi empregar a seu favor as próprias forças daqueles que o atacavam, fazer defensores seus seus adversários (...)"].

que ajam em seu enfrentamento, mas elas são "agidas" ao tanto que e quanto mais elas agem – elas são "agidas" pelas leis da luta de classes, as quais jamais se reduzem às decisões das classes em luta. Primado da luta de classes sobre as classes: uma vez que são a luta das classes, suas condições e suas formas que constituem as classes como classes.

Se assim for, quando se diz que a classe capitalista jamais larga, que ela jamais largará a sua presa, a classe operária, e que ela persegue sua presa, a classe operária, até na linha política de suas organizações de luta de classe, até em sua teoria e sua ideologia, isto não pode ser o simples efeito de uma "decisão" ou de uma "resolução", ainda que lúcida, ainda que feroz, da luta de classe capitalista. Pois a classe capitalista não é um sujeito. Se assim for, quando se diz que, sob o efeito da luta de classe capitalista, a classe operária vê-se atacada até na linha de luta de suas organizações de classe e até em sua teoria e sua ideologia, ela tampouco é golpeada aí como um sujeito que "se desviaria" de sua natureza e de sua linha, que se "deixaria influenciar" como um sujeito livre se deixaria influenciar. O reformismo e o revisionismo podem, decerto, trazer nomes (pois certas circunstâncias fazem com que tal indivíduo devenha historicamente um elo decisivo e desempenhe um papel chave no processo de desvio), mas eles jamais podem se reduzir a nomes.

E por uma simples razão: não mais que a classe capitalista, a classe operária não existe como sujeito que tomaria "decisões" erradas, ou "escolheria" seguir uma linha aberrante.

O primado da luta de classes sobre as classes vale também para a classe operária. Como ela existiria fora do par classe capitalista-classe operária? E se esse par constitui as duas classes antagonistas em seu antagonismo, como a classe operária existiria como sujeito antes da luta de classes? Em realidade, e é o que traz a maior dificuldade de análise dos "desvios" observados no movimento operário, o que faz, sem dúvida, com que a própria palavra desvio seja equívoca, provisória e a substituir, o que advém, e é conhecido como reformismo e revisionismo no movimento operário, sendo totalmente devido a "erros de análises", ou, mais profundamente, a posições de classe deslocadas (= não justas, mal ajustadas), não é jamais, em última instância, senão o efeito da luta de classes no movimento operário.

Decerto, para avançar essa proposição, é preciso fazer-se uma ideia totalmente outra da luta de classes que a ideia correntemente admitida. É preciso, em particular, conceber a luta de classes como não se reduzindo à luta de classe política e ideológica, portanto à luta de classe que pode reivindicar, na representação ideológica dominante, isto é, burguesa, os atributos da consciência e da decisão. É preciso conceber a luta de classe como um enfrentamento de duas lutas de duas classes (é isto: a luta de classes não é a luta de duas classes que lutariam uma contra a outra em sua luta porque classes – mas a luta entre duas lutas, o enfrentamento de dois corpos ambos em luta e lutando cada um com suas próprias armas, as quais não são absolutamente as mesmas no caso que nos ocupa, as armas da luta de classe proletária absolutamente não tendo nenhuma relação com as armas da luta de classe burguesa, e a estratégia e a tática e a prática de luta tampouco), e desde o domínio da infraestrutura (a exploração); e é preciso também conceber que as lutas políticas e ideológicas não são lutas *de ideias* (pois ideia remete a sujeito), pois a ideologia, à qual se reduz muito frequentemente a política, *não é ideias*, mas práticas nos Aparelhos.

Se assim for, pode-se agora retornar à ilusão ideológico-burguesa que pode ameaçar o marxismo até em sua representação do capitalismo e do imperialismo.

Pois se pode também dizer de tudo o que foi dito: é assim. Dir-se-á, decerto, mais: está na natureza das coisas, uma vez que pela natureza das coisas burguesas se substituiu a história conflitiva da luta de classes. Mas, sutilmente, a "natureza das coisas" pode referir-se sub-repticiamente à história! E cair-se-á numa concepção evolucionista da representação marxista da história. Far-se-á desfilar todos os modos de produção na grande Avenida da História, uns após os outros, o primeiro empurrando o segundo diante dele, o segundo, o terceiro etc., até o modo de produção capitalista, que empurra diante dele seu próprio advir (longínquo), o modo de produção comunista. A história enfileira-se assim como pérolas. Ou ela engendra-se como nas belas genealogias dos grandes mitos de Hesíodo ou do Antigo Testamento: um tal engendrou um tal, que engendrou um tal e ao infinito.

Eis-nos, pois, instalados no imperialismo. Graças a uma citação de Lênin, que é também o título de sua brochura, nós sabemos pertinentemente que o imperialismo é o "estágio supremo" do capitalismo. Suponhamos que nós traduzíssemos corretamente "supremo" – em que a elevação (não há mais alto!) pode cegar-nos sobre o fim iminente – em "último", em "derradeiro, nós saberíamos que o imperialismo é o *derradeiro* estágio do capitalismo, a última etapa de sua história. Em suma, o término: após o qual, todo mundo desce! Pois a viagem capitalista terminou. E depois? Ora, temos o socialismo, que alguns querem, em sua imaginação sistemática, até considerar como um modo de produção (*sic*),[196] mas, em todo caso, se cremos, não nesses fantasistas, mas em Lênin, quem jamais falou de modo de produção socialista, temos uma longuíssima transição sob a ditadura do proletariado, a qual alcançará ao modo de produção comunista.

Não está na "natureza da história?" Uma vez que a história é a história do engendramento dos modos de produção uns pelos outros, numa evolução estabelecida pelo evolucionismo, isto é, pela passagem necessária do mais baixo para o mais alto, das formas inferiores às formas superiores, a mais baixa engendrando em seu seio a mais alta, em virtude dessa lei da evolução que quer 1. que seu curso jamais pare; 2. que não haja nem vazio nem fracasso nele; 3. que cada forma engendre naturalmente a seguinte; e 4. que cada forma engendrada sendo mais alta que a precedente, o curso das coisas garante-nos que vamos para o que há de melhor. Nessas

196 O "(*sic*)" é de Althusser.

condições, a palavra de Lênin é do último tranquilizador e relaxante: o imperialismo e o último estágio do capitalismo, o "capitalismo monopolista de Estado é a antessala do socialismo",[197] estamos no fim da linha.[198] Aliás, o "capitalismo monopolista de Estado" entrou numa "crise global". Tudo desenrola-se, pois, segundo os planos previstos, não aqueles da natureza das coisas burguesas, mas segundo as leis de "desenvolvimento da história" marxista.

Nada mais há verdadeiramente senão esperar. O infortúnio vem-nos da dura experiência do povo, que, quando lhe dizemos "antessala", não pode falhar na associação. Para ele, uma "antessala" (de notário, de ministro etc.), é um lugar onde bem se pode esperar indefinidamente. Como prova a expressão: "fazer antessala".[199]

Digo: nessa representação evolucionista da teoria marxista, pode-se, sem nenhuma hesitação, reconhecer ainda uma vitória, e de estatura, da ideologia burguesa, da luta de classe burguesa sobre a luta de classe operária.

Mas isso não é tudo. Nós nos elevamos acima da "natureza das coisas" para alcançar as "leis da história". Mas quando essas leis são impenetráveis, pois impenetradas, não se recai muito simplesmente no nível da "natureza das coisas" como antes?

Quero dizer uma coisa muito simples. Quando nós nos damos um "quadro" dos efeitos do imperialismo, quando se faz a adição desses efeitos, quando nos dizemos: há isso e aquilo e ainda aquilo, sem nos darmos explicações (o que acontece) ou

---

197 LÉNINE, Vladmir I. *Oeuvres*. tome XXV. Paris/Moscou: Éditions sociales/Éditions du Progrès, [s.d.], pp. 388-390; LÉNINE, Vladmir I. *Oeuvres*. tome XXVII. Paris/Moscou: Éditions sociales/Éditions du Progrès, [s.d.], pp. 357/358 e 367; LÉNINE, Vladmir I. *Oeuvres*. tome XXXII. Paris/Moscou: Éditions sociales/Éditions du Progrès, [s.d.], pp. 354-357.

198 N.T.: Em francês, a expressão *être au bout du rouleau* também pode significar "estar próximo da morte".

199 N.T.: Em francês, a expressão *faire antichambre* equivale à expressão "tomar um chá de cadeira".

dando-nos explicações somente plausíveis, mas não esclarecedoras, em suma, quando nos colocamos o imperialismo perante os olhos, em pacote, mesmo bem amarrado, mesmo harmonizado por algumas explicações e mesmo por uma teoria bastante sutil, mas não verdadeiramente convincentes, e se, ademais, nós nos enganarmos manifestamente na teoria, não recaímos na "natureza das coisas"?

Um exemplo: as guerras imperialistas. Cita-se a guerra dos EUA contra a Espanha, a Primeira Guerra Mundial e alguns outros empreendimentos do colonialismo imperialista (a guerra EUA contra o Vietnã). O fato é: essa guerras aconteceram. Sabemo-lo bem, nelas os homens sofreram muitíssimo (nem todos!), e por elas gerações foram marcadas em sua carne. Mas "é assim". Bom. Sabemos que essas guerras são guerras imperialistas, que elas fazem parte dos efeitos do imperialismo e prolongam a luta dos capitais monopolistas a fim da partilha do mundo pelas armas. Sabemos que elas foram horríveis, provocaram destruições sem precedentes e massacraram dezenas de milhões de homens. A culpa é dos nazis seguramente, os quais eram horripilantes: "os mais reacionários dentre os representantes do capital financeiro". Sabemos bem onde nós estamos: sob o imperialismo, o que faz com que as guerras sejam imperialistas e para uma nova partilha do mundo. Mas uma guerra é uma guerra: destruições, mortes seguem-se. É assim. Está na natureza das coisas: estamos novamente em seu limiar. E, além disso, no limiar da psicologia: os fascistas eram horripilantes, "os mais reacionários...". A palavra "reacionário" faz política, mas é uma falsa janela para a simetria: por que os outros (os imperialistas americanos, ingleses, franceses) seriam *menos* reacionários? E o que quer dizer "reacionário", senão somente designar práticas de fato, as quais restam sem explicação?

Exemplo: por que os nazis e os fascistas conduziram o que eles chamaram de "guerra total"? Aparentemente porque tal era seu a bel-prazer. Isso se compreende a partir de sua natureza de "mais reacionários", sem dúvida. Mas por que os EUA fizeram o mesmo na Alemanha e no Japão? Sem dúvida porque, "menos reacionários", eles foram forçados pelos métodos dos nazis? Um "menos reacionário" pode, pois, conduzir-se assim, sem se tornar "mais reacionário" como os "mais reacionários"? Estranho. E se acrescentássemos a essas observações uma pequenina questão: como acontece que as análises marxistas da Segunda Guerra Mundial silenciem-se sobre o fato de que esta foi, ela também, uma guerra inter-imperialista? Como acontece que essa Segunda Guerra Mundial imperialista tenha sido amiúde qualificada de "guerra antifascista", o que não é verdadeiro senão por seu aspecto subordinado?

Digo: quando recaímos assim, por falta de explicações corretas, isto é, justas, no nível da "natureza das coisas", é o signo infalível de que a luta de classe burguesa novamente marcou um ponto contra a luta de classe operária, mesmo na representação que as explicações fornecidas pelas organizações de luta de classe operária dão-se sobre o imperialismo.

Eu poderia multiplicar os exemplos. Não tomo senão um só deles: aquele dos monopólios. Todos sabemos, tendo lido Lênin, que o imperialismo e o capitalismo monopolista são uma só e mesma coisa. Para que o imperialismo seja, é preciso que os monopólios sejam. Que assim seja. Mas esses monopólios, a menos que se os considere como um fato consumado ("é assim"), portanto como o fato consumado da "natureza das coisas", é bem preciso encontrar uma razão para sua existência. Dir-se-á: eles são produzidos pela concentração. Que assim seja. Mas essa explicação pode não ser senão uma palavra: pois ela não faz senão mostrar que antes dos monopólios existiam empresas menores que se tornaram grandes concentrando-se, as maiores absorvendo as menores, o que aumentou tanto as maiores a ponto de fazer delas monopólios.

Não é uma explicação, é simplesmente uma descrição que diz: "é assim". Novamente a natureza das coisas. E se você fizer essa objeção e perguntar pela razão dessa concentração, da absorção dos pequenos pelos grandes, tornados pelo feito ainda maiores, responder-se-á pela concorrência. A lei da concorrência. As empresas lutaram umas contra as outras, umas não aguentaram o golpe e foram absorvidas pelas outras, as quais ganharam na luta. Descobrimos para você, então, todo um mundo de darwinismo social da "luta pela vida" que, sem descer a Darwin, lembra singularmente a lei do direito natural de Spinoza:[200] todos sabemos que no mar são os grandes que comem os médios e os médios que comem os pequenos. Os peixes comem-se entre si. É sua concorrência entre si. A diferença dos capitalistas é que os grandes peixes não mudam de tamanho por ter comido os médios, nem os médios por ter comido os pequenos. A concorrência entre peixes é uma concorrência alimentar que não provoca concentração, enquanto a concorrência entre capitalistas é uma concorrência entre homens de negócios que engordam o volume dos grandes quando eles devoram os pequenos.

Ora, o infortúnio dessa explicação – Marx retorna a ela tantas e tantas vezes em *O Capital* que ele é quase indecente ao lembrá-la – é que ela é burguesa: que a concorrência é "uma ilusão".[201] Não que não exista: mas ela existe em seu nível, como efeito, e como efeito estabelecido por uma causa que nada tem a ver com a concorrência. Ela não existe como a causa dos fenômenos considerados, ela não é a causa essencial, a causa em última instância da concentração das empresas em monopólios. Decerto, ela desempenha um papel na concentração, mas esse papel é subordinado e estabelecido pela causa que comanda a concentração e comanda também as formas concorrenciais que concorrem, em seu nível subordinado, para sua realização.

Eu teria errado agora há pouco ao falar da deformação pela ideologia burguesa, que se nutre da "ilusão da concorrência", da representação que a classe operária pode fazer-se do imperialismo? É o próprio Marx quem o diz, e em termos que não se pode recusar: pois Marx, se ele recusa "a ilusão da concorrência" como causa última da concentração, evidentemente ele não para por aí.

---

200 Cf. p. 153, n. 164.

201 Cf. p. 154, n. 165.

Ele dá-nos a verdadeira causa da concentração, e em termos tais que nos permitem também conceber a necessidade da "ilusão da concorrência" e compreender por que essa "ilusão" é necessariamente burguesa, ou seja, está unida à ideologia burguesa.

Por aí, ele permite-nos compreender que a invasão ou a contaminação da explicação da concentração monopolista pela concorrência é ainda uma maneira pela qual a luta de classe burguesa incinde a representação que se faz a classe operária da realidade do imperialismo. Mesmo sob a cobertura da história, que, ao que parece, substituiu a "natureza das coisas", é uma vez mais a "natureza das coisas" que é restaurada, sob a forma não só da opacidade da história: sob a forma de sua explicação burguesa, e clara como o dia, pois o que há no mundo de mais claro que a concorrência, o jogo de oferta e demanda, a luta dos capitalistas, a luta dos capitais pelos investimentos, em suma, a luta pela vida?

Que se invoque, pois, a "natureza das coisas" ou a "natureza da história" sob sua forma evolucionista, ou sob as evidências grandes como a lua que ela veicula (os grandes comem os pequenos e é por isso que se tornam ainda maiores), resta-se e restar-se-á na ordem do "é assim". Considerar-se-ão todos os fenômenos do imperialismo (e do capitalismo em geral em todos os seus "estágios") como "naturais", como óbvios, isto é, como sancionados por *evidências*. Ora, nós sabemos que as evidências não são senão os lugares comuns da ideologia dominante, no caso, da ideologia burguesa. Que ela consiga fazer assim seu furo na teoria da classe operária, nada de mais normal, uma vez que tal é o aspecto essencial de sua função (como ideologia dominante, seu papel é dominar a ideologia da classe dominada). Mas que as organizações da classe operária e seus "intelectuais orgânicos" (Gramsci) a consintam, é outra coisa.

Marx, entretanto, deu-nos, desde o *Manifesto*, a palavra final de toda a coisa: "A história não é senão a história da luta das classes" (para as sociedades de classe): "o motor da história é a luta de classes". *O Capital*, do qual o Livro I se publicou vinte anos após O *Manifesto comunista*, não é senão o comentário e a demonstração dessas frases proféticas. Enquanto você não tiver alcançado esse ponto em que os fenômenos econômicos podem ser pensados sob essa "lei da história", que é a luta de classes, você permanece numa representação que, quer ela queira ou não e mesmo sob a forma de uma teoria da história, adornada com todas as citações possíveis de Marx, é submissa à ideologia burguesa.

Bem, é preciso saber que não é apenas a "natureza das coisas" que é burguesa, mas que uma concepção evolucionista, uma concepção economicista da história e uma concepção mecanicista das classes e de sua luta (as classes primeiramente, sua luta em seguida) *são também burguesas*. Está aqui a linha de demarcação radical: tudo se referir à luta de classes como a causa em última instância, não a uma concepção idealista do primado da luta de classes sobre as classes, mas a uma concepção materialista desse primado, a uma concepção materialista das condições e das formas do primado da luta de classes.

Eu disse, num recente ensaio,[202] que essa linha de demarcação distinguia os revolucionários dos reformistas, os comunistas daqueles que continuam a pensar dentro da ideologia burguesa, mesmo quando eles são instruídos de Marx e pensam dentro de seu vocabulário. É claro que é preciso acrescentar que esse reformismo não cai do céu e não é o simples efeito de um "erro" subjetivo de concepção, mas o resultado (provisoriamente) vitorioso da luta de classe burguesa no próprio seio das representações reinantes nas organizações da classe operária. E justamente, uma vez que se trata do imperialismo, é Lênin[203] quem o disse: o imperialismo é tal que ele produz o reformismo e o revisionismo no movimento operário. Eu nada invento. Posso também fornecer as citações exigidas.

---

202 ALTHUSSER, Louis. *Réponse à John Lewis*. Paris: Maspero, 1973, pp. 28-30. Esse texto, publicado em julho de 1973, foi redigido durante o verão de 1972.

203 LÉNINE, Vladmir I. *Oeuvres*. tome XXII. Paris/Moscou: Éditions sociales/ Éditions du Progrès, [s.d.], pp. 277, 283 e 300 e ss.

Sobre a história do modo de produção capitalista

Teses:

1. *Não há, em primeira instância, história senão de formações sociais.*[204]

2. É preciso desconfiar do termo "formação social". Em nada ele é o equivalente do termo ideológico "sociedade". O termo "sociedade" é ideológico por ser o termo especular de um outro termo: "indivíduo". Ora, o par "indivíduo(s)-sociedade" é um par ideológico, do qual, para não remontar à pré-história da ideologia de classe, se pode dizer que foi fixado para nós em sua forma dominante atual pela ideologia burguesa e pela filosofia burguesa (em particular a filosofia burguesa da história, a qual "existe" sob formas múltiplas na filosofia clássica, por exemplo, sob a forma dos "Tratados das paixões"). No par indivíduo-sociedade, o que se dá e o que está dado, é o problema do *fundamento* das relações sociais existentes ou que vão existir, isto é, burguesas, o problema da passagem do "direito natural" ao estado social pelo contrato. A ideologia filosófica burguesa é assombrada por esse problema do fundamento, isto é, da justificação "natural" (= de direito) das relações jurídicas burguesas como constituinte a essência de toda "sociedade", ou seja, de toda associação de homens na história. O resto, ela não está nem aí.

Justamente, o termo "formação social" pode ser o objeto de um tratamento científico pelo que ele nada tem a ver com o par ideológico individuo(s)-sociedade e, pois, com a noção (ideológica, nesse par) de "sociedade".

---

204 Cf.: ALTHUSSER, Louis. *Socialisme idéologique et socialisme scientifique* (1966-1967), inédito, a ser publicado. "Les modes de production ne se *transforment* pas: ce sont les *formations sociales* qui se transforment, et elles seules". ["Os modos de produção não se *transformam*: são as *formações sociais* que se transformam, e elas somente"].

A diferença salta aos olhos quando se põe a questão sobre a *forma específica* de uma formação social. Tomemos um exemplo. Existem, desde certo tempo, "formações sociais capitalistas". Ora, essas formações sociais capitalistas "existem" sob e em uma forma específica: a *forma-nação*. Evidência? Nem tanto. É em todo caso uma evidência que é preciso "conquistar". Pois as formações sociais escravistas ou servis existem sob formas totalmente outras que a *forma-nação*. E todos sabemos quanto insistiram Marx[205] e Lênin[206] para mostrar que a forma-nação não sobreviveria indefinidamente, mesmo que ela subsista por muito tempo, todavia, deverá desaparecer. Pois a forma de existência das formações sociais comunistas (ou da formação-social comunista?) não será, seguramente, a forma-nação.

Por que as formações sociais capitalistas "existem" sob a forma-nação? Pois, em última instância – e todo o resto é-lhe subordinado, tão contraditório quanto possa ser –, a forma-nação é imposta pela existência do *mercado*, área geográfica de existência e de desenvolvimento da produção mercantil capitalista: não somente o mercado dos produtos fabricados (mercadorias), mas também o mercado dos meios de produção e também o mercado da força de trabalho. É o ponto de partida obrigatório, e não somente o ponto de partida, mas a base material obrigatória, inscrita no espaço geográfico, de toda formação social capitalista. E o que se passa agora com os desenvolvimentos do imperialismo, que vai além do mercado mundial das mercadorias, uma vez que o mercado mundial das mercadorias é dominado pelo mercado mundial dos capitais financeiros, que vai além das nações, uma vez que o vemos constituir monopólios "multinacionais", melhor dir-se-ia

---

205 MARX, Karl. "Le Manifeste du Parti communiste". *In*: _____. *Oeuvres*: économie, 1I. Trad. M. Rubel e L. Évrard. Paris: Gallimard, 1968, pp. 179/180; MARX, Karl. "Discours sur la Pologne". *In*: _____. *Oeuvres*. tome IV. Gallimard, [s.d.], p. 995.

206 LÉNINE, Vladmir I. *Oeuvres*. tome XXI. Paris/Moscou: Éditions sociales/ Éditions du Progrès, [s.d.], p. 33.

"inter-nacionais"; tudo o que se passa também para tentar constituir, ao preço de tantas dificuldades, um "mercado europeu" comum com diversas nações imperialistas – tudo isto não abole em nada a forma-nação de base, mas, ao contrário, a supõe. É sobre a base da forma-nação, portanto, do mercado nacional, que se constituem as formas "mundiais", "internacionais" e "continentais" (a Europa) do imperialismo contemporâneo.

3. É, pois, nesse sentido que se pode dizer: não há, em primeira instância, história senão das formações sociais, sabendo que *a forma de existência das formações sociais é determinada pelo modo de produção que se realiza nelas*. A cada modo de produção, uma forma de existência e de realização da formação social correspondente.

Essa distinção é de uma importância capital. Pois pode-se dizer isso: todo modo de produção não "encontra" automaticamente, em virtude de um tipo de direito divino ou de argumento ontológico (que gostaria que toda essência exista de pleno direito, que cada modo de produção exista pela virtude de sua essência), *a forma* na qual ele pode existir. Se ele a "encontra", ou seja, se as condições existentes permitem-lhe dar a existência, realizá-la, "forjá-la", então o modo de produção em questão existirá. Se ele não a encontra, se as condições existentes não lhe permitem realizá-la, impô-la, então ele não existirá. Ou se ele começou a existir durante um tempo e se, ao final de um prazo exigido (pois nessas coisas a necessidade spinozista não perdoa), ele não chegou a dar-se *a forma* de formação social que lhe corresponde, ou seja, que lhe permita reproduzir-se seja sob uma forma simples, seja sob uma forma ampliada, então, o modo de produção considerado morrerá.

Isso aconteceu na história e, sem dúvida, um número considerável de vezes. O infortúnio da história (falo da história dos historiadores) é que ela "trabalha" sobre o fato consumado e em seu fetichismo, portanto, sobre o resultado durável, apto a produzir as condições de sua reprodução, assim como o biólogo trabalha sobre as espécies que existem, ou seja, que chegaram a se reproduzir. Mas o biólogo ao menos sabe quão fantástico desperdício a vida deveu pagar a fim de chegar (se me é permitida essa linguagem do "êxito") para produzir algumas espécies aptas a se reproduzirem, por exemplo, o humano. O que vive é o que sobreviveu: ele não existe senão sobre um fantástico, inimaginável campo de cadáveres, os quais não puderam viver. Traços deles subsistem nas camadas sedimentadas e nos fósseis. É por isso que o biólogo faz uma vaga ideia da história da vida, suspeitando que o mistério da vida, isto é, da sobrevivência, deve-se buscar não do lado do que vive, então, sobrevive, mas do que está morto, então, do que não sobreviveu. O historiador, em geral, não chegou aí.

No entanto, bem será preciso chegar aí, para pôr fim, assim como começa a fazer-se na biologia, à teoria ideológica do evolucionismo na própria história. Bem será preciso chegar nisso para considerar os modos de produção que estão mortos, que não puderam sobreviver, pois [eles] não puderam se reproduzir, pois, entre outras razões, eles não chegaram a realizar a *forma* própria da formação social na qual o dito modo de produção poderia existir. Não que houvesse a essência do modo de produção em busca da forma de sua existência: pois a essência não existe fora dessa busca de sua forma própria de existência.

A fim de dar um só exemplo, acaso não nos surpreendemos muitíssimo com a sorte das cidades italianas do século XIV, as quais nos prometiam o advento do capitalismo, mas abortaram em seu "destino"? É preciso ir mais longe: elas tinham satisfatoriamente "realizado" o capitalismo, e na cidade e no campo, inclusive formas totalmente modernas do capitalismo, o trabalho em cadeia na grande indústria movida pela energia hidráulica, o trabalho parcial, e no campo, a utilização de procedimentos científicos existentes a fim de desenvolver a produção (todo um corpo de agrônomos a serviço dos capitalistas agrários). Ora, esse capitalismo morreu.

Por quê? Pois a formação social existente, cidade mais campo ao redor, não era a forma própria ao desenvolvimento do modo de produção capitalista. Precisava da forma-nação, e não se dispunha senão da forma-cidade mais um pouco de campo. Não havia do que constituir o campo do mercado necessário ao capitalismo (o mercado em todos os sentidos indicados acima). Daí a morte dessas formações sociais capitalistas. Elas morreram por não terem podido constituir a forma própria à existência do modo de produção capitalista, ou seja, à sua reprodução simples e ampliada: a forma-nação.

Se alguém o compreendeu, e na Itália mesmo, é certo personagem nomeado Maquiavel. Não digo que tenha tudo dito: mas ele compreendeu qual era o "elo decisivo" *faltante* que era preciso fabricar,[207] se necessário do zero, partindo do nada: a nação. Daí, *O Príncipe*. Mas os historiadores não compreenderam isso, e os próprios marxistas o compreenderam? Eles riscaram da história essa existência do capitalismo nas cidades italianas do século XIV, pois essa existência seguida de morte os incomoda, pois eles oscilam entre o empirismo e o argumento ontológico e resolvem seu estado de alma no evolucionismo: não poderia ser o capitalismo que existia nessas cidades, dado que ele morreu! E dado que o capitalismo, por definição, deve existir como o modo de produção que sucede ao modo de produção feudal. Ele não pode, pois, ao mesmo tempo existir e morrer! Estamos nessa aí.

Essa simples observação abre evidentemente abismos. Que um modo de produção *possa* morrer, em relação isso, todos os marxistas estão de acordo. É a mesma coisa essencialmente, ao que parece, que Marx teria oposto às ilusões "eternitárias" ou "eternitaristas" dos apologistas economistas ou outros do modo de produção capitalista. Mas atenção! Ele pode morrer somente se ele *deve* morrer! Ou seja, quando ele *esgotou todas as suas potencialidades* e mesmo *desenvolveu todas as forças produtivas que ele podia conter em seu seio*.[208] Em suma, quando já deu a sua hora,

---

207 Primeira redação: "que precisava criar".

208 MARX, Karl. "Avant-propos". *In*: ______. *Contribution à la critique de l'économie politique*. Trad. M. Rubel e L. Évrard. Paris: Gallimard, 1859,

ou seja, quando ele realizou sua "missão histórica" (para o modo de produção capitalista: "desenvolver de maneira sem precedente as forças produtivas"),[209] ou seja, realizou seu *dever* de modo de produção. Mas que um modo de produção, que o mesmo modo de produção, ademais, tenha se dado o luxo de morrer antes de ter realizado seu dever histórico, antes de já ter dado a sua hora etc., e por assim dizer, para empurrar bem a coisa ao seu limite, morrer antes de ter (verdadeiramente, duravelmente) existido, isso está fora de questão!

Sei bem que verdadeiros políticos dirão que essa questão desatinada não tem interesse, que não se trabalha senão sobre o que é, que só pelo que existe verdadeiramente vale a pena lutar, e que não se pode lutar alhures senão no que existe. Mas verdadeiramente, essa pequena questão não tem nenhum interesse político? Pode ser politicamente do maior interesse que possam existir *formas* de formações sociais que contrariam (para ser polido) a existência de um modo de produção. E nós não falamos senão de *uma* forma somente, enquanto há grandes chances de que exista um montão, além da forma-nação das formações sociais capitalistas. Pode ser sobejamente interessante, por exemplo, perguntar-se *em quais formas* (e não somente a forma-nação) deve existir uma formação social *socialista* para que o modo de produção comunista, que existe de maneira antagonista nela (Lênin) com o modo de produção capitalista (Lênin), tenha reais chances de *existir*, isto é, de ganhar dos elementos do modo de produção capitalista que

---

p. 273. "Jamais une société n'expire, avant que soient développées toutes les forces productives qu'elle est assez large pour contenir". ["Jamais uma sociedade expira, antes que sejam desenvolvidas todas as forças produtivas que ela seja capaz de conter"].

209 MARX, Karl. "Le Manifeste du Parti communiste". *In*: ______. *Oeuvres*: économie, 1. tome I. Trad. M. Rubel e L. Évrard. Paris: Gallimard, 1968, p. 166; MARX, Karl. "Le Capital", Livre III. *In*: ______. *Oeuvres*: économie, 2. tome I. Trad. M. Rubel e J. Malaquais. Paris: Gallimard, 1968, p. 1768, note; MARX, Karl. "Le Capital", Livre III. Trad. G. Badia e C. Cohen-Solal. Paris: Éditions sociales, 1976, pp. 244, 252 e 255.

subsistem, organizando antecipadamente as formas de existência desse modo de produção comunista – não?

E não falo do que assombra essa simples questão. Ou antes falemos disso. Se somos obrigados a pensar que o segredo da existência histórica dos modos de produção existentes (em suas formas próprias) deve-se pesquisar não tanto no fato consumado das condições de sua existência, mas ao menos igualmente no fato anulado, pois não consumado, condições da não existência (pois eles morreram) dos mesmos modos de produção, para compreender as condições de existência de um modo de produção que existe, é preciso, pois, segurar as duas pontas da cadeira: ou seja, comparar os casos de existência e os casos de não existência (no sentido indicado acima) e *pensar as condições de existência a partir das condições de não existência.*

E isso não é, tampouco, sem desagradar aos especialistas do fato consumado, sem consequências políticas. Pois isso pode ensinar-nos (para retornar ao nosso caso do socialismo) sobre as condições da existência do modo de produção em gestação a partir das condições de sua não existência. Situação contraditória bastante interessante, pois, como que por acaso, ela nada faz senão retomar a teoria de Lênin sobre a "transição" do capitalismo ao comunismo. No socialismo,[210] as condições da não existência do comunismo estão reunidas aí, no grande dia: são os elementos do modo de produção capitalista que subsistem. Decerto, sob "formas diferentes" (Lênin),[211] como aí subsistem as classes e a luta das classes; decerto, sob "formas diferentes", Marx teria [dito] "transformadas". Mas elas estão aí, nem um pouco imaginárias, bem reais e ativas. E é precisamente com a condição de "resolver" no bom sentido (na boa direção, por uma política bem orientada) essa contradição entre as condições da existência e as condições da não existência do modo de

210 O datilografado traz "comunismo".

211 LÉNINE, Vladmir I. *Oeuvres*. tome XXXIII. Paris/Moscou: Éditions sociales/ Éditions du Progrès, [s.d.], pp. 282 e ss., 315 e ss.

produção comunista que chegaremos um dia ao modo de produção comunista. E aqueles que creem que está decidido de antemão (como estava decido de antemão o destino do modo de produção capitalista desde que ele existe – como prova, quanto lhe aconteceu morrer porque as condições de sua existência não tinham sido satisfeitas, diz-se que ele jamais existiu – é tão simples quanto igualmente supor que todos os mortos jamais existiram!), eles não devem senão ler Lênin,[212] que dizia: pode-se recair para trás, no lugar de avançar para o comunismo, pode-se "fazer antessala" num socialismo que, não mais avançando, recua. Parece-me verdadeiramente que Lênin tinha sobejamente compreendido o interesse dessa pequena questão sobre as condições da não existência (ou da morte) de um modo de produção, melhor dizendo: o interesse *político* (pois, graças a Deus, Lênin ao menos não era um especulativo).

Não há, pois, história, em primeira instância, senão de formações sociais, assim definidas: pelas *formas* (dessas formações sociais) que realizam o par contraditório das condições da existência *e* da não existência de um modo de produção, a questão da *existência* de um modo de produção numa formação social que não se põe senão em função desse par contraditório: condições de sua não existência/condições de sua existência.

4. Dissemos: "em primeira instância". Sim. Pois deve-se ir mais longe. Não é possível, com efeito, restar aí no dualismo: de um lado, o modo de produção como uma *essência*, e de outro lado, a formação social como realizando (ou não) as *condições de sua existência*. Em bom spinozismo-marxismo, a essência e a existência não existem em dois estágios: a essência não existe senão em sua existência, nas condições de sua existência. Isso

---

212 LÉNINE, Vladmir I. *Oeuvres*. tome XXII. Paris/Moscou: Éditions sociales/Éditions du Progrès, [s.d.], p. 333; LÉNINE, Vladmir I. *Oeuvres*. tome XXXI. Paris/Moscou: Éditions sociales/Éditions du Progrès, [s.d.], p. 15; LÉNINE, Vladmir I. *Oeuvres*. tome XXXIII. Paris/Moscou: Éditions sociales/Éditions du Progrès, [s.d.], pp. 61, 208 e 282.

não quer dizer que haveria de direito uma adequação prévia que *garantisse* à essência as condições de sua existência. Miséria! A história mostra suficientemente o contrário: que a contradição é o prêmio da relação entre a essência e suas condições de existência.

Dito isso, todas as contradições, contrariedades e fricções não são pertinentes; há descartes, uma enorme quantidade de descartes na história, incidentes na história. Mas se pode de igual sorte dizer que o mais claro dessa contradição, longe de ser algo estranho à essência, integra-a e a constitui. Em suma, que a essência de um modo de produção é contradição e que a contradição entre a essência e suas condições de existência, longe de ser algo exterior à essência de um modo de produção, é a forma de manifestação principal dessa contradição. Isso pode muito facilmente esclarecer-se (quando se conhece a "contradição" interna a um modo de produção, ao menos numa sociedade de classe em que isso salta aos olhos, porque ela existe no caráter antagonista de sua relação de produção). Mas deixemos esse ponto.

Se, pois, um modo de produção "existe" nas formas convenientes à sua reprodução de uma formação social, e não fora no céu ideal das "essências" puras, então é preciso ser consequente, e dizer: se não há história senão das formações sociais em primeira instância, não há em última instância história senão dos modos de produção. O que quer dizer que um modo de produção tem uma história.

Essa pequena frase de nada fará sorrir. Arrombar assim de portas abertas? Certamente, quando você abre uma porta, ela está aberta, e você nada mais faz que entrar. Mas fora preciso abri-la. E é raro que aquele que entre em portas abertas as tenha aberto. É preferível embolsar o ganho cancelando o trabalho do chaveiro, dizendo que ele não trabalhou em fechadura nenhuma, mas que a porta estava já aberta e que ele "arrombou uma porta aberta". De nada importa isso.

Dizer, entretanto, que um modo de produção tem uma história, com a condição, certamente, de levar cada qual dessas palavras, as quais são conceitos, a sério, isso não é sem consequências.

Pois é preciso saber o que é um modo de produção, o que não salta aos olhos. E não de uma maneira vaga ou aproximativa, mas de uma maneira precisa, rigorosa, pois é assim que Marx trabalhou o conceito: para dele fazer um conceito científico. Nós lhe devemos o grosso do trabalho e também o que é preciso para continuar seu trabalho. Mas não há hesitação quanto à natureza do trabalho. Ele exclui quase tudo e exige o rigor da ciência.

Em seguida, é preciso saber o que é a história. Aí também, mesma observação. A história não é uma palavra vaga, cobrindo quase tudo o que se queira, mas um conceito preciso e rigoroso, pois científico.

Seria preciso evidentemente explicar tudo isso. Mas o que acabamos de dizer, por procuração, adverte suficientemente, contudo, que é sério escrever essa pequena frase: "um modo de produção tem uma história", pois quão pequena ela seja, essa frase é séria. Séria no sentido de uma ciência.

Vamos mostrá-lo por algumas consequências.

Está bem claro que uma formação social histórica (por exemplo, a Franca capitalista, existente na "forma-nação") é a existência de um modo de produção (aqui, o modo de produção capitalista). Com todos os descartes e incidentes históricos que se queira no imediato (disso falaremos mais tarde, e veremos quais estranhos descartes são estes), de um lado; também com a contradição assinalada entre o modo de produção e a formação social, ou seja, entre a essência do modo de produção e suas condições de existência e não existência, contradição da qual dissemos que ela era constitutiva da existência da essência do modo de produção (veremos mais tarde em qual sentido). Tudo isso é, pois, bem claro.

Deve estar claro igualmente que a essência de um modo de produção é constituída pela sua relação de produção constitutiva, antagônica, a qual divide e opõe duas classes antagonistas em sua luta de classe, a propósito da detenção ou da não-detenção dos meios de produção e da força de trabalho (isto para as sociedades de classe). A demonstração disso fora feita alhures.

Se assim for, dizer que um modo de produção tem uma história é dizer que o que o constitui, a saber, sua relação de produção, tem uma história. Falo aqui a linguagem do singular (seguindo nisso Marx no capítulo inédito de *O Capital*),[213] no lugar do plural, empregado sem ponderação ("as relações de produção"). Esse plural pode justificar-se quando se fala de uma formação social, na qual há diversos modos de produção, antigos dominados pelo dominante: como encontramos aí diversos modos de produção, encontramos aí diversas relações de produção. Mas num modo de produção não há senão uma relação de produção. (Decerto, ela multiplica-se em outras relações, mas elas não são relações de *produção*). Portanto, a relação de produção de um modo de produção tem uma história.

Pode-se disso fazer-se, aproximada e empiricamente, uma ideia pensando em todas as fórmulas que Marx empregou para falar do "desenvolvimento das relações de produção". Não são somente as forças produtivas que se desenvolvem, também as relações de produção. Ora, o desenvolvimento, ele talvez seja o indício (somente, pois nós não somos evolucionistas) de um tipo de história. Outro indício: se a relação de produção divide as classes em classes que se afrontam na luta de classes e se a luta de classes "é o motor da história", o liame é direto entre a relação de produção e a história, pelo intermédio das classes afrontadas em sua luta. Digo: são indícios, somente indícios, não explicações. Voltaremos a isso. Por hora, seria preciso simplesmente familiarizar-se, mesmo que de longe, com a ideia: que o modo de produção tem uma história.

Mas para arrombar novamente uma porta aberta, deixemos aí nosso raciocínio e mudemos de registro. E enunciemos essa verdade

---

213 Cf.: p. 116, n. 126.

de evidência: não há história (portanto, das formações sociais) senão de seu modo de produção e por seu modo de produção.

Por aí, somos forçados a tocar na questão da história, essa palavra em que cada um forra suas evidências, mas que Marx tratou como conceito científico. Cada um sabe que a história é o que acontece, mesmo quando não acontece. Aquele esperto Wittgenstein estendeu a coisa ao mundo "*Die Welt ist alles, war der Fall ist*".[214] "O mundo é" "tudo o que advém", "tudo que é o caso", "tudo o que cai" (como se diz no ofício de jornalista de uma mensagem que "cai").

Mas aí começa a dificuldade: tudo o que acontece não é histórico. Todos os eventos não são históricos. Então, o que fará a diferença, ou seja, a triagem? Nem você nem eu, evidentemente, nem mesmo os grandes homens. Ah, sim, os historiadores, é seu ofício. Mas seus critérios? Quando os examinamos um pouco mais de perto, constata-se que, à exceção daqueles que remam contra a corrente, os critérios e os juízos dos historiadores nada mais fazem senão registrar os critérios e os juízos da própria história. Paradoxo: é, pois, a história que faz a triagem entre os eventos históricos e os outros, é a história que diz o que é histórico, portanto, quem diz o que é a história. Mas a história quem diz o que é a história é a mesma história que a história sobre a qual ela se pronuncia? Sim: os juízos da história são juízos que a história faz sobre si mesma. Amém.

É aqui que Marx desliza sua palavra. Os julgamentos que a história faz sobre si mesma constituem a história em história. Que seja. Mas esses "juízos" não são julgamentos de Deus: são os *resultados* das lutas de classe que opõem classes antagonistas. A vitória da classe dominante sobre a classe explorada é um "julgamento da

---

214 WITTGENSTEIN, Ludwig. *Tractatus logico-philosophicus*: suivi de Investigations philosophiques. Trad. Pierre Klossowski. Paris: Gallimard, 1961, p. 29; "Le monde est tout ce qui arrive". WITTGENSTEIN, Ludwig. *Tractatus logico-philosophicus*. Trad. Gilles-Gaston Granger. Paris: Gallimard, 1993, p. 33. "Le monde est tout ce qui a lieu".

história" sobre si mesma, e os historiadores da classe dominante a inscrevem em seus livros, tratando como convém a classe vencida (1848, 1871) com as expectativas e os adjetivos de sua derrota, para que ela não seja aí senão mais submissa por ter ousado revoltar-se, e, se preciso, pode-se explicar-lhe detalhadamente por que ela não podia senão ser vencida, a fim de que ela não recomece. Julgamento da história. Mas a classe vencida pode guardar, de sua derrota e do massacre que a fez padecer, uma lembrança totalmente outra; o evento do qual ela padeceu pode trazer um "julgamento" totalmente outro sobre a história: "não, a Comuna não está morta".[215] A prova: ela não cessou de viver, da Revolução de 1917 a Lênin dançando na neve, à Revolução Chinesa e a certos episódios da Revolução Cultural.

Concluamos: segundo os eventos da luta das classes, segundo os resultados dos afrontamentos, a história bem traz sobre si "julgamentos" que são esses resultados, os quais são comentados de maneira contraditória pelas classes em luta, pois eles estão *em pendência*,[216] eles mesmos julgados tais como serão pelo processo da luta de classe que os produziu. "Perdemos uma batalha, não perdemos a guerra", disse um homem de Estado burguês,[217] mas Lênin o tinha precedido para dizer da derrota da Comuna, totalmente previsível e atroz que fosse, que seria preciso conduzir a luta, mesmo de antemão perdida, para as vitórias do advir.[218] Tal

215 "Elle n'est pas morte" (1896), canção de Eugène Pottier sobre a área de "T'en fais pas", de Victor Parizot.

216 N.T.: Assinalo o sentido literal da expressão *en instance*, literalmente, "em instância", pelo jogo de palavras de Althusser ("primeira instância", "última instância"). Assinalo, em contexto e em língua francesa, o sentido jurídico de "instância", como que denotando o rito processual do "julgamento".

217 GAULLE, Charles de. "L'appel du 18 Juin". *In*: ______. *Discours de Winston Churchill devant la Chambre des communes le 13 mai et 18 juin 1940, suivi de L'Appel du 18 Juin*: déclarations du général de Gaulle sur les ondes de la BBC, le 18 et 22 juin 1940. Paris: Points, 2009, pp. 50 e 52.

218 LÉNINE, Vladmir I. *Oeuvres*. tome XII. Paris/Moscou: Éditions sociales/Éditions du Progrès, [s.d.], p. 109; LÉNINE, Vladmir I. *Oeuvres*. tome XIII. Paris/Moscou: Éditions sociales/Éditions du Progrès, [s.d.], p. 500.

é a linguagem dos proletários. Quanto aos burgueses, se ganham uma batalha, não imaginam que eles podem perder a guerra. Está em sua lógica: não podemos, no entanto, pedir-lhes para crerem em sua desaparição.

Que a história seja a "história da luta de classes", isso pode parecer inconteste. Isso permite compreender o que, em última instância, na história, pronuncia "julgamentos" sobre a história: a luta de classes. É ela quem faz a triagem, e como é ela mesma a história e seu motor, compreende-se que ela a faça sem precisar sair de si.

Sobre o imperialismo e o movimento operário

Em seu *À l'ombre des deux T*,[219] o velho Cerreti não é tão bobo quando explica a grande invenção de Togliatti: o partido proletário de massa, diferente do dito partido de quadros que Thorez teria defendido, na dita linha leninista.

Se se crê que as formas de organização ligadas à linha do movimento operário não mudaram, põem-se cabrestos. Reconhece-se, em geral, que elas mudaram no passado, antes de Lênin, quem pôs fim a formas "aberrantes" ou "insuficientes", aquelas da social-democracia, com suas formas de organização sem células, sem células de empresa,[220] sem revolucionários profissionais, portanto, sem quadros etc. Mas hoje em dia, pensa-se que está fixado de uma vez por todas, desde Lênin, e segundo os critérios fixados por ele, decide-se que isto passa e que aquilo não passa.

É assim para a "escola italiana" da qual fala Cerreti e para a oposição dos comunistas franceses à "linha italiana" de Togliatti.[221]

Os franceses, entretanto, tinham eles também inventado sacras coisas durante o Fronte Popular. Eles tinham inventado uma "linha" de união larga: proletário + camponeses pobres + pequena-burguesia arruinados ou assalariados (camadas médias, como se dizia então) + certos elementos da burguesia democrática antifascista.

Mas os franceses não tinham tocado na concepção do partido. Certamente, Thorez tinha transformado a atmosfera e as práticas (contra o "grupo" Barbé-Célor e seu sectarismo,[222] contra o tempo

219 N.T.: "Na sombra dos dois T".

220 N.T.: Em francês, *cellules d'entreprise*. São células do Partido nas fábricas e outras empresas.

221 CERRETI, Giulio. *À l'ombre des deux T. Quarante ans avec Palmiro Togliatti et Maurice Thorez*. Paris: Julliard, 1973, pp. 50 e ss., pp. 59 e ss., pp. 68 e ss.

222 Em julho de 1931, sob a influência da direção do CPSU, Henri Barbé e Pierre Célor são acusados de terem criado um "grupo fracional" no seio do Bureau político do PCF, e são expulsos do BP pouco tempos depois. Cf.:

de "classe contra classe"),[223] mas não a concepção. Ele restava um partido de tipo bolchevique.

Togliatti mudou a concepção do partido ao mesmo tempo que a linha. Por quê?

A razão disso é relativamente simples: o fascismo italiano. A vitória do partido fascista, que tinha conseguido criar-se uma base de massa real, depois de ter quase destruído as organizações operárias e massacrado seus militantes, exigia uma "réplica" *ad hoc*. A posição de Togliatti foi a de que seria preciso transformar o caráter do Partido Comunista em partido de massa (mais "quadros", ou mesmo mais "vanguarda") e militar em todos os lugares onde se encontravam as massas, em particular nos sindicatos fascistas. Daí outras formas de recrutamento e outras formas de organização, com uma outra linha. Ganhar os fascistas, os pequenos quadros fascistas ao mesmo tempo que os católicos etc. Deslocamento para um partido de massa com objetivos *hegemônicos*, já antes da ditadura do proletariado!

O que explica a estranha concepção italiana da hegemonia segundo Gramsci. Objetivos hegemônicos: eleitorais, sindicais, culturais – a política resultante nalgum tipo naturalmente da síntese desses objetivos, os quais apresentam todos essa característica de não pôr, como o fazia Lênin, o acento sobre a inserção do partido no coração da luta de classes: nas usinas. Essa política

---

ALTHUSSER, Louis. *XXIIe Congrès*. Paris: Maspero, 1977, p. 66, no qual o grupo Barbé-Célor é associado ao "autoritarismo" do PCF do período de "classe contra classe".

223 Na sequência da expulsão de Trotski e Bukharin do PCUS em 1927 e da coletivização das terras na URSS a partir de 1929, os partidos da IIIª Internacional comunista adotam uma política ultra-sectária, qualificando a social-democracia e os partidos socialistas de "social-fascistas", "os melhores aliados da burguesia numa crise final do capitalismo". Desde as legislativas de 1927, o PCF faz uma violenta campanha anti-socialista sob a palavra de ordem de "classe contra classe". Essa política é mantida até o final de maio de 1934, data que marca o início do período dos Frontes populares.

"hegemônica" teve, como o diz orgulhosamente Cerreti,[224] resultados impressionantes (mas a Pirro):[225] 1. o Partido Comunista italiano é o primeiro partido ocidental (o número de membros – mas um membro italiano é um membro de tipo especial, "hegemônico"...; 2. os resultados eleitorais – mas eles têm sua "trava" neles...;[226] 3. grandes cidades do Norte administradas por comunistas, conselhos gerais em mãos de comunistas, sindicatos também e, sobretudo, cooperativas etc.; 4. relações privilegiadas, embora com altos e baixos, com os intelectuais e... com os católicos.[227]

O paradoxo dessa linha e dessa organização "hegemônicas" é exercer, assim, uma "hegemonia" pelos meios supramencionados sobre camadas médias e ambientes "culturais" (Igreja, intelectuais), evidentemente *em nome* do proletariado e dos camponeses pobres. Mas essa hegemonia exercida em nome do proletariado apresenta essa particularidade de deixar praticamente de lado o próprio proletariado, que não tem mais organização política sobre o lugar de seu trabalho e de sua exploração – assim como os camponeses pobres, sobre os quais Cerreti diz que foram em

---

224 CERRETI, Giulio. *À l'ombre des deux T. Quarante ans avec Palmiro Togliatti et Maurice Thorez*. Paris: Julliard, 1973, p. 70.

225 N.T.: Referência à vitória de Pirro de Epiro, que custou perdas significativas mesmo com a vitória, daí a expressão "à Pirro", "à maneira de Pirro", ou seja, "vitorioso, mas com grandíssimas perdas, com grandíssimos custos".

226 ALTHUSSER, Louis. *Lettre aux camarades italiens du 28 juillet 1986*. (Imec, Fonds Althusser, Alt2.A29.06-10). "Un camarade français – c'était un secrétaire fédéral – avait, en 1972, devant le CC, déploré que le parti se heurtât, dans les élections, à un 'butoir' (comme dans les gares terminales): jusqu'à 21 %, mais jamais au-delà". ["Um camarada francês – era um secretário federal – tinha, em 1972, perante ao CC, lamentado que o partido se batera, nas eleições, numa 'trava' (como nas estações terminais): até 21%, mas nunca além"]. A "trava" do PCI no início dos anos 1970 era por volta de 27%.

227 N.T.: Na edição original francesa, abre-se os parênteses em "1. o Partido comunista italiano é o primeiro partido ocidental (o número de membros (...)" ["1. le Parti communiste italien est le premier parti occidental (le nombre des adhérents (...)"], o qual jamais se fecha.

parte “abandonados”.[228] Em suma, o Partido, em que numerosíssimos são intelectuais que não têm todos “a classe” de Togliatti, exerce a hegemonia proletária sobre as camadas médias e sobre os ambientes culturais pelos dispositivos que vimos, mas ele a exerce em nome do proletariado, por delegação que os intelectuais do Partido dão-se a si mesmos e na ausência do proletariado, em sua ausência política. O proletariado está organizado nos sindicatos: daí a tendência a dar-se em compensação objetivos políticos, sob a benção da grande lembrança dos conselhos de usina de Gramsci, em Turim.

Ora, o caráter de “desfile” histórico da linha de Togliatti salta aos olhos. O que Togliatti concebeu não tem sentido senão para uma Itália ocupada e dominada pelo fascismo, pela hegemonia fascista. Contra a hegemonia fascista, Togliatti teve de opor a linha da hegemonia proletária. Mas ele também teve de passar pelas condições da hegemonia fascista. Ele teve de lutar sobre o terreno do adversário. Não é um acaso se a questão dos sindicatos está no centro de tudo: os fascistas tinham conquistado e transformado os sindicatos. O golpe de gênio de Togliatti foi dizer: é preciso lutar nos sindicatos fascistas. E ele continuou sobre o mesmo trajeto em todos os lugares. A linha de Togliatti, a linha da hegemonia proletária (esse conceito que, em Lênin, não tem sentido senão para dizer que o proletariado deve ter a direção política sobre seus aliados)[229] foi uma *contralinha* (como um contratorpedeiro é um torpedeiro), definida a partir do fato consumado e das formas e lugares da hegemonia fascista na Itália. A partir daí, disso segue-se uma concepção do partido própria a opor-se à linha da hegemonia fascista e a operar essa hegemonia proletária, a qual não é, de maneira nenhuma, proletária de verdade e não é hegemônica

---

228 CERRETI, Giulio. *À l’ombre des deux T. Quarante ans avec Palmiro Togliatti et Maurice Thorez*. Paris: Julliard, 1973, pp. 49 e 57/58.

229 LÊNIN. *Oeuvres*. tome IX, pp. 95, 108 e 139; tome XIII, pp. 117/118, 124 e 365; tome XV, pp. 56/57; tome XXV, pp. 305-307 e 437; tome XXIX, p. 379; tome XXX, pp. 268-273 e 410/411; tome XXXII, pp. 11-14, 293/294 e 447-449; etc.

no sentido em que lhe dava Togliatti, pois ele pensava que entre essa hegemonia do proletário sobre seus aliados, de um lado, e a hegemonia *posterior* à tomada do poder de Estado, de outro, havia continuidade, e que esta era a mesma. Erro.

De tudo isso resulta: que as formas de organização e, antes do [mais], a linha de um partido como o Partido italiano foram determinadas pelos avatares políticos da luta de classe dominada pelas formas do imperialismo fascista.

Não se poderia encontrar mais bela "ilustração diferencial", segundo as formas do imperialismo e os eventos locais provocados por ele, senão a diferença entre o Partido francês e o Partido italiano. Essas diferenças não são senão efeitos diferenciais das formas de realização do imperialismo em dois países tão parecidos, mas [ao mesmo tempo] tão diferentes quanto a França e a Itália. E tudo isso não se pode compreender senão em relação às sequências da Primeira Guerra imperialista (1914 - 1918), na qual a França foi vitoriosa e jugulou a Alemanha, enquanto a Itália, esgotada por sua guerra sem vitória senão formal, pagava pelos outros: ponto fraco da cadeia imperialista, primeiro ponto forte do fascismo. Não por acaso.

A questão que se põe evidentemente então é, agora, a de acertar as contas com esse passado e, com isso, ver onde nós estamos. Seria absurdo continuar uma política que foi "fixada" e como que "fascinada" pelas condições de luta transitórias impostas pelas formas de realização do imperialismo, fascista ou não, antes da Segunda Guerra imperialista, ou durante ou depois. Decerto, é preciso um tempo considerável para constituir um partido político e, de maneira alguma, poderia ser questão voltar ao canteiro de obras a cada "virada" do imperialismo, aqui e ali. É justamente uma das verdades do "policentrismo" proclamado em altíssima voz por Togliatti[230] e

---

230 TOGLIATTI, Palmiro. *Les Voies du socialisme*. [Rapport à la réunion du Comité central du Parti communiste italien, Rome, 13 mars 1956, Cahiers du Parti communiste italien, Section pour l'étranger], nº 2, s.p., pp. 29-34, [s.d.]. Cf.: TOGLIATTI, Palmiro. "La via italiana al socialismo" (1956). *In*: ______. *Opere*. Ed. Luciano Gruppi. tome IV, 2ª partie. Roma: Editori

seus camaradas a de acentuar o fato de que as formas de realização do imperialismo, sendo *diferentes* segundo as nações imperialistas (sua base: uma grandíssima *desigualdade de desenvolvimento*, a qual pode ir nos dois sentidos, na medida em que o elo é fraco ou não, estar em retardo ou, ao contrário, estar prematuro – em definitivo, qual é a base teórica da desigualdade de desenvolvimento? Lênin não diz! –, deve-se, contudo, encontrá-la no que Marx diz sobre o processo contraditório e desigual da realização da lei da baixa da taxa de lucro!),[231] as formas de organização e de decisão etc. devem também ser diferentes, portanto, dotadas da autonomia. O "policentrismo" é um dos efeitos políticos do imperialismo sobre a classe operária internacional, uma de suas vitórias. Isso não quer dizer que fosse preciso combatê-lo: é um mal necessário, o qual tem seus lados bons ("contar com suas próprias forças",[232] ou numa certa medida, a diminuição da dominação da URSS), mas é preciso ver o que se paga também. Nada de Internacional. É também um efeito do imperialismo em seus desenvolvimentos atuais.

Seria preciso rever tudo isso. Sem o que, cada um caminhando somente na via aberta pelo seu passado, desprezando o vizinho e sem saber por que é nessa via que avança, arrisca-se a fazer estupidezes.

---

riuniti/Istituto Gramsci, 1984, pp. 155-159; TOGLIATTI, Palmiro. "Alcuni problemi della storia dell'Internazionale communista" (1959). *In*: ______. *Opere*. Ed. Luciano Gruppi. tome VI. Roma: Editori riuniti/Istituto Gramsci, 1984, p. 401; "Vers 1934, il était devenu impossible et même absurde de penser qu'on pouvait exercer un véritable travail de direction depuis un centre unique". Cf.: TOGLIATTI, Palmiro. *Le Parti communiste italien*. Trad. R. Paris. Paris: Maspero, 1961, pp. 89-91 e 165.

231 MARX, Karl. "Le Capital", Livre III. Trad. G. Badia e C. Cohen-Solal. Paris: Éditions sociales, 1976, pp. 1015 e ss; MARX, Karl. "Principes d'une critique de l'économie politique [extraits des Grundrisse]". *In:* ______. *Oeuvres*: économie, 2. tome. I. Trad. M. Rubel e J. Malaquais. Paris: Gallimard, 1968, pp. 273 e ss. (Bibliothèque de la Pléiade).

232 MAO, Tsé-Toung. *Citations du Président Mao-Tsé-Toung*. Pékin: Éditions en langues étrangères, 1966, p. 214. "Compter sur ses propres forces et lutter avec endurance" [自力更生, 艰苦奋斗] ["Contar com suas próprias forças e lutar com resistência"].

"A essência pura"

Vamos falar aqui do imperialismo, não em tal ou tal de suas manifestações em detalhe, mas como Marx falava do modo de produção capitalista em *O Capital*, em "sua essência interna", em sua "*Kerngestalt*" (sua configuração central), "sua estrutura interna"[233] etc., em suma, em sua "média ideal".[234]

Não se compreendeu sempre o sentido dessas expressões que Marx não cessou de repetir no curso de sua obra. Não se compreendeu sempre por que ele tomava um cuidado tal ao advertir que ele não tratava senão dessa "essência interna", ou dos fenômenos "em sua pureza", e não dos fenômenos em seu detalhe concreto. Menos ainda compreendeu-se que Marx fala dos fenômenos reais (como o lucro, a renda, o juro e o salário, no terceiro Livro [de *O Capital*], quando ele diz que vamos, enfim, "encontrar os fenômenos" em seu caráter concreto, tais como eles apresentam-se à "superfície das coisas",[235] e em suplemento, que ele invoca muito amiúde exemplos concretos (por exemplo, sobre a jornada de trabalho, sobre a legislação das fábricas, sobre as condições de exploração dos operários ingleses, sobre a crise do algodão dos anos 1860 etc.).

No entanto, Marx não faz senão o que faz todo cientista. Ele "isola" o mecanismo que conseguiu identificar como essencial, ele o isola de todos os detalhes que podem afetar seu curso de maneira acidental, mas não essencial, e analisa o fenômeno em sua "pureza". Assim como o físico, para tomar um exemplo simples, que analisa a lei da queda dos corpos, ele abstrai tudo o que não concerne ao fenômeno em sua pureza (os atritos etc.).

---

233 MARX, Karl. "Le Capital", Livre III. Trad. G. Badia e C. Cohen-Solal. Paris: Éditions sociales, 1976, p. 998.

234 MARX, Karl. "Le Capital", Livre III. Trad. G. Badia e C. Cohen-Solal. Paris: Éditions sociales, 1976, p. 1440.

235 MARX, Karl. "Le Capital", Livre III. Trad. G. Badia e C. Cohen-Solal. Paris: Éditions sociales, 1976, p. 874.

Ele cria assim as condições de um verdadeiro experimento: que ele seja puramente conceitual, nada muda para a questão. Antes, trata-se de um experimento em que o cientista Marx faz variar os elementos depois de tê-los isolado como pertinentes.

A PROPÓSITO DE MARX E A HISTÓRIA (1975)

Quando se lê Marx, tem-se uma impressão muito estranha, comparável àquela que experimentamos ao ler alguns raros autores, tais como Maquiavel e Freud. Impressão de deparar-se perante textos (mesmo teóricos e abstratos) cujo estatuto não encaixa nas categorias habituais: textos sempre *ao lado* do lugar que eles ocupam, textos sem centro interior, textos rigorosos e, todavia, como que desmembrados, textos designando um outro espaço que o seu.

Assim é *O Capital*. Texto teórico, sistemático, mas inacabado, em todos os sentidos do termo: não somente porque os Livros II e III não são senão fragmentos de Marx agrupados por Engels e Kautsky (Livro IV), mas porque supõe um outro acabamento que teórico, um fora onde a teoria seria "perseguida por outros meios".

Marx deu-nos a razão dessa estranheza em dois ou três textos claros, nos quais ele dá expressamente à sua posição teórica a forma de uma *tópica*. Por exemplo, o Prefácio à *Contribuição* (1859) expõe a ideia de que toda formação social é assim feita tal que ela comporta uma infraestrutura (*Basis* ou *Struktur* em alemão) econômica e uma superestrutura política e ideológica (*Überbau* em alemão).[236] A tópica apresenta-se, assim, sob a metáfora de um edifício, onde os andares da superestrutura repousam sobre uma base econômica.

Ora, nós não conhecemos muitas teorias que se dão a forma de uma tópica, salvo Marx e Freud.

O que significa em Marx essa *tópica*?

1. Ela designa, em toda "formação social" (sociedade), uma *distinção* entre a base (econômica) e a superestrutura (política e ideológica). Ela evidencia, pois, níveis de realidade distintos e realidades distintas: o econômico, o jurídico-político e a ideologia.

2. Mas essa distinção é muito mais que uma simples distinção de realidades: ela designa *graus de eficácia* no interior de uma unidade. Ela indica a base como a "determinação em última instância" da formação social e, no interior dessa determinação de conjunto, ela indica a "determinação recíproca"[237] da superestrutura sobre a base. Filosoficamente, a determinação em última instância pela base, pela produção econômica, atesta a posição materialista de Marx. Mas essa determinação materialista não é mecanicista. Pois a indicação da "*última* instância" supõe que existam *outras* instâncias, as quais podem também determinar em sua ordem, e que exista, pois, um *jogo da* determinação e *na* determinação: esse jogo é a *dialética*. A determinação em última instância não esgota, pois, toda determinação; ela determina, ao contrário, o jogo das outras determinações, interditando-lhes de exercerem-se no vazio (a onipotência idealista da política, das ideias etc.). Esse ponto é muito importante para compreender a posição dialética de Marx. A dialética é o jogo aberto pela última instância entre ela

---

236 MARX, Karl. "Avant-propos". *In*: ______. *Contribution à la critique de l'économie politique*. Trad. M. Rubel e L. Évrard. Paris: Gallimard, 1859, pp. 272/273.

237 N.T.: "Détermination en retour". A expressão *en retour* traduz o termo alemão *Wechselwirkung*, o qual, por vezes, é versada em português por "ação-recíproca".

e as outras "instâncias", mas essa dialética é materialista: ela não joga no ar, ela joga-se no jogo pela última instância, material. Na tópica, Marx inscreve, pois, sua posição materialista e dialética.

3. Mas isso não é tudo. Em sua forma, a tópica é outra coisa que uma *descrição* de realidades distintas, outra coisa que uma *prescrição* das formas da determinação: ela é também quadro de *inscrição* e, pois, espelho de posição para aquele que a enuncia e para aquele que a vê.[238] Apresentando sua teoria como uma tópica, dizendo que toda "sociedade" é assim feita tal que ela compreende uma base e uma superestrutura jurídico-política e ideológica e dizendo que a base é determinante em última instância, *Marx inscreve-se a si mesmo* (sua teoria) nalguma parte na tópica e aí inscreve, ao mesmo tempo, todo leitor que vier. Está aí o último efeito da tópica marxista: no jogo ou mesmo na contradição entre a eficácia de tal nível, por um lado, e a posição virtual de um interlocutor na tópica, por outro. Concretamente, isso quer dizer: o jogo da tópica devém, do fato dessa contradição, uma interpelação, um apelo à prática. O dispositivo interno da teoria, na medida em que ele é *desequilibrado*, induz uma disposição à prática que continua a teoria sob outros meios. É o que dá à teoria marxista sua estranheza e faz com que ela seja necessariamente inacabada (não como uma ciência ordinária, a qual é inacabada somente em sua ordem teórica, mas de outra maneira). Noutros termos, a teoria marxista é assombrada, em seu próprio dispositivo, por certa relação com a prática, a qual é, por sua vez, uma prática existente e uma prática a transformar: a política.

Parece que se poderia, embora em termos diferentes, dizer a mesma coisa da teoria psicanalítica. Ela seria, também ela, assombrada em sua teoria por certa relação com a prática (a cura).

---

238 Cf.: ALTHUSSER, Louis. "Machiavel et nous". *In*: ______. *Écrits philosophiques et politiques*. tome II. Ed. François Matheron. Paris: Stock/Imec, 1994, p. 64.

O mister de Freud de pensar sua teoria sob a forma de uma tópica poderia corresponder a essa necessidade obscura.

Dito isso, tentemos ir um pouco mais longe. O que Marx traz, o que ele descobre? Ele mesmo diz, em seu Prefácio ao *Capital*, que ele se propõe à *análise* (novamente um termo que o aproxima de Freud: Marx fez-se glória de ter introduzido o "método analítico em economia política"),[239] à análise do modo de produção capitalista. De fato, toda sua obra está centrada sobre esse objeto, ao qual ele é o primeiro a ter dado seu nome de modo de produção. Mas Marx faz também, em *O Capital*, excursões nos modos de produção pré-capitalistas, ele fala também (mas muito pouco, não querendo "prescrever receitas para o cardápio da taberna do futuro")[240] [241] do modo de produção comunista por vir. No Prefácio à *Contribuição*,[242] ele esboça também um tipo de periodização da história, em que se sucedem os modos de produção comunista-primitivos, escravagista, feudal, capitalista.[243] Se Marx mantém-se, pois, estritamente na análise do modo de produção capitalista,

---

239 Althusser pensa talvez na carta de Marx de 18 de março de 1972 ao editor da tradução francesa do Livro I de *O Capital*: "Au Citoyen Maurice Lachâtre". *In*: _____. *Le Capital, Livre I*. Trad. J. Roy, Chronologie e avertissement L. Althusser. Paris: Garnier-Flammarion, 1969, p. 32. "La méthode d'analyse que j'ai employée n'avait pas encore été appliquée aux sujets économiques [...]". ["O método de análise que empreguei não tinha ainda sido aplicado nos assuntos econômicos (...)"].

240 N.T.: A expressão em francês é "faire bouillir les marmites de l'avenir", literalmente, "ferver as panelas do futuro", mas cujo sentido de "faire bouillir les marmites" é "assegurar a subsistência", no caso, "do futuro". A tradução adotada aqui, contudo, é aquela da edição brasileira do "Posfácio da segunda edição" de *O Capital* da Editora Boitempo (Cf.: MARX, Karl. *O Capital*. São Paulo: Boitempo, 2011, p. 88).

241 "Postface" da 2ª éd. allemande du *Capital*, (MARX, Karl. "Le Capital", Livre I. *In*: _____. *Oeuvres*: économie, 2. tome I. Trad. M. Rubel e J. Malaquais. Paris: Gallimard, 1968, p. 555).

242 MARX, Karl. "Avant-propos". *In*: _____. *Contribution à la critique de l'économie politique*. Trad. M. Rubel e L. Évrard. Paris: Gallimard, 1859, pp. 273/274.

243 Versão anterior: "e comunista".

nisso ele não menos considera a história passada e não hesita em escrever sobre a história que se faz, a história francesa (*O 18 de Brumário* etc.), a história da Inglaterra, da Irlanda, dos EUA, das Índias etc.

Marx tem, pois, certa ideia da história, e não somente uma teoria do modo de produção capitalista. Essa ideia, ele a tinha já enunciado na célebre frase do *Manifesto*: toda a história até nossos dias é a história da luta de classes. Bastaria aproximar essa frase da sucessão dos modos de produção para dar-lhe corpo e sentido.[244]

No entanto, as coisas não são tão simples. Pois essa aproximação pode dar lugar a diversas interpretações.

Pode-se dizer, por exemplo: a luta de classes é o motor da história, e graças à luta de classes – essa negatividade –, a história progride, de um modo de produção a outro, até seu fim, a supressão das classes e da luta de classes, cada modo de produção contendo *em si*, virtualmente, o modo de produção seguinte. Nesse caso, desenvolve-se uma concepção hegeliana do desenvolvimento dialético, ou uma concepção evolucionista dos estágios necessários, em suma, ter-se-á uma filosofia da história, em que a história é uma entidade, um Sujeito, dotado de Fim, de um Telos, que ela persegue desde as origens, através da exploração e da luta de classes. Numa tal concepção, a história tem sempre um sentido (nas duas acepções da palavra: um fim, uma significação). Essa concepção não é aquela de Marx. Se há astúcias *na* história (astúcias e derrisões), não há astúcia *da* história; se há sentido *na* história, não há sentido *da* história. Essa distinção entre o *em* e o *de* é por vezes muito difícil de manter, é por vezes muito difícil guardar-se de confundir uma *tendência* atualmente dominante *na* história com o sentido *da* história, mas a integridade do materialismo de Marx tem por condição essa distinção.

---

244 Versão anterior: "Mas há evidentemente diversas maneiras de conceber essa ideia, quando se a reprova pela sucessão dos modos de produção citados há pouco".

Marx, com efeito, não pôde escrever O *Capital* senão com a condição de romper com toda filosofia da história, como com toda teoria (filosófica) que pretendia dar conta *exaustivamente* da *totalidade* dos fenômenos observáveis na história humana. Para compreender isso, é preciso representar-se qual é sua posição e como ele a vê.

É preciso representarmo-nos Marx escondido, eu diria mocozeado (aquele "velho mocó",[245] que é seu fraco) em pleno ambiente do século XIX, e conhecendo-o e tendo conseguido saber o que capitalismo quer dizer.[246] Ora, esse Marx aí, confinado no horizonte do que ele pode saber (e nada mais), escreve sem volteios:[247] "*o que se chama desenvolvimento histórico repousa, levando tudo em conta, sobre o fato de que a última forma considera as formas passadas como etapas conduzindo ao seu próprio grau de desenvolvimento*". A representação da história é, pois, "espontaneamente" assombrada por uma ilusão prodigiosa: que as formas passadas estão destinadas a produzir o presente. Como o presente é o *resultado* de *um*[248] *passado*, o presente imagina-se que ele seria o *fim do* passado! E Marx acrescenta: "[e como] essa última forma era raramente capaz, e isto somente em condições bem determinadas, de fazer sua própria crítica... ela concebe as formas passadas sob um aspecto unilateral". Para poder escapar da ilusão teleológica e seus efeitos, é preciso que a "última forma" esteja em estado de fazer sua "autocrítica", ou seja, de ver claramente em si

---

245 MARX, Karl. "Le 18 Brumaire de Louis Bonaparte". Trad. M. Sagnol. *In*: ______. *In*: ______. *Oeuvres*. tome IV. Paris: Gallimard, [s.d.], p. 530; MARX, Karl. "Appel au prolétariat anglais". Trad. L. Janover e M. Rubel. *Spartacus*, série B, nº 129, mai/juin 1984.

246 N.T.: Em francês há o jogo de palavras entre *enfouir*, *tapir* e *taupe*: "Il faut nous représenter Marx enfoui, je dirais tapi (cette 'vieille taupe' qui est son faible)".

247 MARX, Karl. "Introduction générale a 'Contribution à la critique de l'économie politique'". *In*: ______. *Oeuvres*: économie, 1. Trad. M. Rubel e L. Évrard. Paris: Gallimard, 1963, pp. 260/261.

248 Versão anterior: "o resultado do passado".

mesma. "A autocrítica da sociedade burguesa", como diz Marx, pode, então, permitir compreender as "sociedades feudais, antigas, orientais". Essa "autocrítica da sociedade burguesa" é *O Capital*, amplamente redigido em 1857-1859. Munido desse conhecimento, Marx pode sair de seu buraco e abordar essa coisa estranha que se chama história.

A crítica da ilusão teleológica leva Marx à recusa de projetar *tais quais* as categorias que explicam a sociedade presente sobre as sociedades que existiram no passado.[249] De acordo com os casos, certas categorias presentes estão parcialmente ou totalmente ausentes em tal formação passada, e quando elas estão presentes, são muito frequentemente *deslocadas*, desempenham um papel diferente, e mesmo se ele é parecido, é *cum grano salis*.[250]

Mas essa história supõe a *existência* de certo passado, o qual pode ele mesmo ser, por sua vez, considerado como o fim de sua própria pré-história. É preciso levar até o fim de suas últimas defesas[251] a ilusão teleológica da história. Conhecemos a pequena frase de Marx: "a anatomia do homem é a chave para a anatomia do macaco".[252] Ela significa: suposto que a linha macaco-homem seja estabelecida nos fatos, que o homem seja o resultado do macaco, não é (contrariamente a todos os evolucionistas) a anatomia do macaco que nos dará a anatomia do homem, mas a anatomia do homem que nos dará "uma chave", e uma chave somente, para a anatomia do macaco. Retomando uma fórmula célebre de Hegel,

---

249 MARX, Karl. "Introduction générale a 'Contribution à la critique de l'économie politique'". *In*: ______. *Oeuvres*: économie, 1. Trad. M. Rubel e L. Évrard. Paris: Gallimard, 1963, pp. 237 e ss, 260 e ss.

250 MARX, Karl. "Introduction générale a 'Contribution à la critique de l'économie politique'". *In*: ______. *Oeuvres*: économie, 1. Trad. M. Rubel e L. Évrard. Paris: Gallimard, 1963, p. 260.

251 N.T.: A sentença "até o fim de suas últimas defesas" versa a palavra francesa retranchements.

252 Cf.: ALTHUSSER, Louis. "La querelle de l'humanisme". *In*: ______. *Écrits philosophiques et politiques*. tome. II. Paris: Stock/Imec, 1995, p. 518.

que exigia que jamais se apresente "o resultado em seu devir",[253] mas que considerava que o devir do resultado continha já em si o resultado, Marx[254] diria: todo resultado bem é o resultado de um devir, mas o devir não contém *em si* seu resultado. Melhor dizendo, se o resultado bem é o resultado necessário de um devir, o devir que produziu esse resultado não tem a forma de um telos. É por isso que "a última forma" não pode considerar "as formas passadas como levando ao seu grau de desenvolvimento".

Essa última ideia introduz-nos[255] ao que eu chamaria de uma "contra-história", uma história negativa, como fundo e imprevistos da história "positiva". A história, tal como ela é comumente concebida, é a história dos *resultados* como as etapas do devir da forma presente, é a história dos *resultados retidos* pela história: não é a história dos não resultados, dos devires sem resultados e dos resultados sem devir, formas abortadas, formas recalcadas, formas mortas, em suma, falhas, não as falhas que a história retém, mas falhas que ela não retém. A história oficial, escrita em nossa tradição ocidental por e para a classe dominante, é a história de uma dominação, a qual esmaga a outra história, aquela das sombras e dos mortos. No entanto, escrevia Marx, em *Miséria da filosofia*, é sempre pelo lado mau que a história avança.[256] Por aí, Marx dava vida a toda uma história recalcada, ele descobria um devir até então sem resultado, aquele das massas

---

253 HEGEL, Georg. *Phénoménologie de l'esprit*. Trad. P.-J. Labarrière e G. Jarczyk. Paris: Gallimard, 1993, p. 22; Cf.: ALTHUSSER, Louis. "Du contenu dans la pensée de G.W.F. Hegel (1947)". *In*: _____. *Écrits philosophiques et politiques*. tome I. Paris: Stock/Imec, 1994, pp. 61, 65 e 103.

254 MARX, Karl. "Réponse à Mikhailovski (novembre 1877)". *In*: _____. *Oeuvres*: économie, 2. tome I. Trad. M. Rubel. Paris: Gallimard, 1968, p. 1555.

255 Versão anterior: "Sob um reserva muito importante que vou fazer, essa ideia introduz-nos".

256 MARX, Karl. *Misère de la philosophie*. *In*: _____. *Oeuvres*: économie, 1. tome I. Paris: Gallimard, 1968, p. 89.

exploradas, oprimidas, explorável e empregável sem escrúpulos[257] para todos os trabalhos e todos os massacres:[258] o lado mau. Mas por aí Marx abria *o campo imenso da não história* sob todas suas formas, aquela das sociedades para sempre desaparecidas (resultados sem devir), aquela dos partos perdidos (o capitalismo nas cidades da Itália do Norte no século XIV no Vale do Pó), aquela da existência "antediluviana", aquela das "sobrevivências", aquela das revoluções prematuras e tantas outras histórias ainda, em que a repressão, o recalcamento e o esquecimento disputam pelo fracasso.

É combinando a história dos resultados e a contra-história recalcada que Marx alcança pensar a história de outra maneira que sob as categorias da teleologia e da contingência.[259]

Vou, por um viés, tentar responder à questão: em quais condições há história humana, ou ainda, como a história está enraizada num grupo humano, numa formação social?[260]

Para Marx, que não se interroga sobre a antropologia pré--histórica, o homem é um animal social que apresenta essa particularidade de *produzir* suas condições de existência materiais. Ora,

---

257 N.T.: "taillables et enrôlables à merci pour tous les travaux et tous les massacres", *taillables* refere-se à *taille*, ao imposto típico da idade média, a "talha". Em língua francesa temos a expressão *taillable et corvéable à merci* (e variantes, como no caso com *enrôlables*), "sujeito à talha e à corveia", no sentido de "que se pode explorar sem vergonha, sem escrúpulos".

258 Versão anterior: "todos os trabalhos e todas as guerras".

259 Versão anterior: "[...] contingência: sob a necessidade de um mecanismo tendencial".

260 No lugar desse parágrafo e aquele que o precede, encontra-se, numa versão anterior: "Aqui, devo limitar-me a generalidades. Deixo de lado a questão da história universal: Marx mostra que a história não possui unidade como história e não cessa de revestir a forma de histórias locais e descontínuas senão quando existe a unidade material e social de um mercado mundial com o capitalismo. E, com isso, volta ao enraizamento da história num grupo histórico humano, numa formação social".

Kant já dizia que o homem é um animal que trabalha,[261] e Franklin antes dele: o homem é um animal que fabrica ferramentas.[262] Marx cita Franklin em O *Capital*:[263] o homem fabrica ferramentas para produzir seus meios de subsistência, para arrancá-los da natureza por seu trabalho. Mas ele não trabalha na solidão. Mesmo nos grupos mais primitivos, existe um divisão do trabalho, portanto, formas de cooperação e de organização do trabalho. Um grupo humano ou uma formação social produz, pois, sua subsistência. Ora, se tal grupo *existe*, é que ele chegou a *reproduzir-se* até aqui. Eis o ponto no qual tudo se desenrola. Pois esse grupo reproduziu--se não somente biologicamente, mas *socialmente*: reproduzindo as condições da produção de seus meios de subsistência. Melhor dizendo, *detrás da produção*, visível, que faz Franklin dizer que o homem é um animal que fabrica ferramentas, detrás da dialética do trabalho exaltada por Hegel, Marx designa (após os fisiocratas) um processo silencioso que comanda o primeiro e que não se vê: *a reprodução das condições da produção.*

Praticamente, isso quer dizer, primeiramente, que a produção deve incluir um excesso material, um sobreproduto, e não importa qual, mas um sobreproduto definido, que permite reproduzir, após cada qual de seus ciclos, os elementos do processo de produção: ferramentas em excesso para substituir as ferramentas usadas, trigo a mais para a semente etc. Em suma, um excesso que seja uma reserva determinada para assegurar a reprodução das condições materiais da produção (e sabemos que, durante séculos, a guerra foi um dos meios de assegurar essa reprodução: pela terra, pelos escravos etc.). Se essas condições não estão asseguradas

---

261 KANT, Immanuel. *Réflexions sur l'éducation.* Trad. Alexis Philonenko. Paris: Vrin, 1993, p. 148.

262 Citado por BENTLEY, Thomas. *Letters on the Utility and Policy of Employing Machines to Shorten Labour.* Londres: William Sleater, 1780, pp. 2/3.

263 MARX, Karl. "Le Capital", Livre I. *In*: ______. *Oeuvres*: économie, 2. tome I. Trad. M. Rubel e J. Malaquais. Paris: Gallimard, 1968, note c, p. 864.

pela reprodução, a formação social perece e morre. Aí onde não há continuidade na existência, não há história. Se, em biologia, existir é, para uma espécie, reproduzir-se, em história, existir é reproduzir as condições materiais e sociais da produção.

Pois é preciso também que as condições *sociais*, e não somente as condições *materiais* (ferramentas, sementes, força de trabalho), sejam reproduzidas. É preciso que a divisão social e as formas da cooperação sejam reproduzidas, o que supõe toda uma superestrutura política e ideológica, apta para assegurar a reprodução das funções e sua coordenação na produção. Pode-se vê-las nas sociedades primitivas, nas quais os mitos e seus sacerdotes desempenham esse papel de regulação das condições sociais da reprodução, sancionando a divisão do trabalho, as relações de parentesco, os ritmos, portanto, a organização dos trabalhos etc.

Tudo isso, que se nos tornou familiar, Marx decifrou em sua análise do modo de produção capitalista e não pode, decerto, ser aplicado às formações pré-capitalistas senão *cum grano salis*. Mas essa unidade da produção e da reprodução e o efeito de superestrutura como condição da reprodução social são essenciais à ideia que Marx faz da história, assim como a distinção que faz, no início [da segunda seção do Livro I] de *O Capital*, entre reprodução simples (sobre a mesma base) e reprodução ampliada (sobre uma base maior). O modo de produção capitalista não conhece a reprodução simples, mas ele revela sua possibilidade. E não é um acaso que Marx insista sobre a existência histórica de *sociedades estagnadas*, que asseguram sua reprodução nos limites estreitos de sua produção anterior, sobre o "teto" histórico alcançado pelas sociedades pré-capitalistas. Diferentemente delas, o capitalismo é inelutavelmente submetido à reprodução ampliada, à expansão mundial.

Pode-se tirar dessa visão da história diversas conclusões:

1. Pode-se compreender o fato, já assinalado, de que "sociedades" desaparecem totalmente: quando certas condições de sua reprodução passam a faltar por uma razão ou outra. Pode-se também

compreender que certas formações sociais tenham abortado, como as primeiras formas de capitalismo na Itália do Norte (ausência de unidade nacional = ausência de um mercado suficientemente vasto).

2. Pode-se compreender que nas "sociedades" que existiram, a história não tenha tido a mesma velocidade, o mesmo ritmo, o mesmo "tempo", que tiveram as sociedades estagnadas, umas imobilizadas após uma progressão, outras condenadas a um desenvolvimento ofegante.

3. Pode-se, enfim, compreender o papel da superestrutura assinalado na tópica marxista. A superestrutura, o Estado e o direito, a política, a ideologia e todas as obras que vivem da ideologia têm por função contribuir para a reprodução[264] de formas de produção, e nas sociedades de classe, para a reprodução de formas sociais e ideológicas da divisão em classes. Mas se pode, ao mesmo tempo, compreender que a superestrutura não assume e não cobre a violência de classe senão sancionando-a a partir da ideologia, da autoridade de Deus, do interesse geral, da Razão ou da Verdade. A reprodução material e social toma a forma da "eternidade" de valores ideológicos dos quais os homens políticos não são mais que os representantes. É por isso que, até Marx, a história resume-se e reduz-se à superestrutura, é por isso que não há história oficial senão da superestrutura, dos grandes homens políticos, cientistas, filósofos, artistas e escritores, em suma, uma história "unilateral" como diz Marx: uma história que não penetra nas profundezas das condições materiais e sociais da produção e da reprodução, uma história que não alcança a determinação "em última instância".

Mas se pode tirar dessa visão outra conclusão, a qual concerne ao modo de produção capitalista.

Que a história, para Marx, não seja homogênea, nós já o percebemos pela sua observação segundo a qual não é qualquer forma social que está em estado de fazer sua própria "autocrítica"

---

264 Versão anterior: "de assegurar a reprodução".

e pela sua preocupação de evitar a ilusão teleológica da história espontânea. Só as sociedades em que reina o modo de produção capitalista são capazes disso. É que o modo de produção capitalista não é como os outros, mas único em sua ordem. Ele apresenta essa particularidade orgânica, inscrita em sua estrutura (valorização do valor, produção de mais-valor) de reproduzir-se sobre uma base *ininterruptamente* ampliada, correspondendo à sua tendência a crescer, aprofundar e expandir sem parar a exploração da força de trabalho assalariada. Não posso entrar aqui nos detalhes, mas se pode representar as coisas esquematicamente assim. De certa maneira, todos os modos de produção pré-capitalistas têm uma estrutura "aberta" ou "lacunar", ao passo que o modo de produção capitalista é marcado por sua estrutura *fechada*. O que assegura a clausura do modo de produção capitalista é o que Marx chama frequentemente de *generalização* das relações mercantis, que não somente faz com que todos os produtos sejam produtos *como* mercadorias, mas faz com que a *força de trabalho*, ela mesma, devenha uma mercadoria. Nos modos de produção pré-capitalistas, bem existiam mercadorias, produtos vendidos como mercadorias, mas que não eram produzidos como mercadorias, e a força de trabalho não era uma mercadoria: por aí, subsistia uma "abertura", todo um jogo em que o senhor explorava para gozar e não para acumular capital, em que o servo podia num certo limite, e sob certas servidões, levar sua própria vida. Com o modo de produção capitalista, a força de trabalho devém uma mercadoria; o senhor, um capitalista que explora a força de trabalho para acumular capital. Não há saída possível para a furibunda lei da exploração, a qual está na base da luta de classe capitalista, para a extensão da exploração e para a dominação do mundo. O modo de produção capitalista está condenado a uma gigantesca fuga para frente, lançado em crises que são para ele como que soluções sobre as costas dos explorados e submetido a uma lei tendencial antagonista: aumentar cada vez mais a concentração e a acumulação, mas, ao mesmo tempo, educar e forçar cada vez mais as massas exploradas para a luta de classes, provocar as zonas colonizadas para sua liberação, viver nessa contradição mortal até a morte.

Para Marx, essa tendência é irresistível: o imperialismo é a última forma que toma essa tendência, a união do capital industrial e bancário em capital financeiro, a dominação do mercado de capitais sobre o mercado das mercadorias em escala mundial, a luta pela partilha do mundo entre os monopólios desembocando na guerra imperialista etc. Mas essa tendência irresistível não é uma fatalidade, a qual contém nela de antemão sua solução sem alternativa. Conhecemos a sentença de Engels: "socialismo ou barbárie".[265] A história que nós vivemos dá todo seu sentido a essa dupla saída. Nós podemos viver a tendência irresistível do imperialismo nas formas do "apodrecimento" (Lênin) e da "barbárie" (Engels), da qual o fascismo nos dá uma primeira ideia. E isso pode durar ainda longamente, pois o próprio do capitalismo antes era, e o próprio do imperialismo sempre é, uma extraordinária capacidade de transformar suas *crises* em *curas* históricas, seja ao se instalar nelas, como no fascismo ou outras formas latentes, seja ao sair delas, como em 1929, mas pela guerra mundial. Resta que a cada guerra mundial, 1914-1918, 1939-1945, o mundo imperialista não pode sair de sua crise senão pagando cada vez o preço de uma ou diversas revoluções socialistas. Pois a alternativa à barbárie, ela pode ser o socialismo. Pois o que está inscrito na tendência irresistível do imperialismo é, *indissoluvelmente*, ao mesmo tempo, o crescimento da exploração e sua extensão em escala mundial, a exasperação da luta das classes.

É sobre essa base que é possível a organização da luta de classe operária para a tomada do poder e para o socialismo. Decerto, é preciso que existam organizações da luta de classe operária, e que elas saibam inserir-se nas contradições do imperialismo no ponto arquimediano: aquele que permite, não de sublevar o mundo, mas de transformá-lo.

5 de maio de 1975

---

265 Cf.: p. 87, n. 89.

SOBRE A HISTÓRIA (1986)

Contrariamente ao que pensavam Hegel, Engels e Stálin, mas conforme ao que pensava Marx (malgrado algumas derrapadas), não há leis da história.

Há uma necessidade histórica individual e social da qual podemos fazer a teoria científica: os conceitos de materialismo histórico, materialismo de o aleatório[266] de Marx são a prova disso. Se não há leis na história, há lições da história – mas essas lições são elas mesmas aleatórias, pois jamais a mesma situação, a mesma conjuntura (Maquiavel, Spinoza, Marx, Lênin, Mao, Wittgenstein, Derrida), o mesmo "caso" reproduzem-se. Tudo, em história pessoal ou social, *é singular e único* (Maquiavel, Spinoza, Stirner, Bakunin, Lênin, Mao etc.).[267]

É por isso que Popper, a coqueluche da epistemologia ocidental, tem razão e, ao mesmo tempo, está errado.

Ele tem razão quando reconhece que as ciências humanas não têm a autoridade de leis como as da física. *Ele tem razão* ao

---

266 N.T.: Althusser escreve "(...) les concepts de matérialisme historique, matérialisme de l'aléatoire (...)".

267 Cf.: ALTHUSSER, Louis. "Sur l'objectivité de l'histoire. Lettre à Paul Ricoeur" (1955). *In*: ______. *Solitude de Machiavel et autres textes*. Ed. Yves Sintomer. Paris: PUF, 1998, p. 24.

dizer que toda verificação deve ser falseável, ainda que tenha a tendência idealista kantiana a formular as condições *a priori* da falseabilidade de um enunciado.

Mas ele está *errado* sobre os seguintes pontos:

1. não pode existir epistemologia como ciência da ciência (da teoria da prática teórica) ou ciência das ciências.

2. existe somente uma história das ciências, e da ideologia epistemológica que elas produzem e sob a qual ela se produz.

3. essa história, como toda história, não obedece a leis, mas nela observamos *invariantes* (Lévi-Strauss) e suas variações singulares (Maquiavel, Spinoza, Freud).

A teoria das invariantes analíticas[268] ou históricas, como ________ figuras tópicas do inconsciente singular, como ________[269] da história individual e social, pode ser, se a levarmos a sério, uma *teoria científica falseável.*

4. Popper está errado, pois, ao recusar à história, à psicanálise e à teoria da luta de classes todo o valor científico: é que ele está obnubilado pelo modelo da física galileana. Heidegger, contudo, denunciou a exploração da ciência galileana pela técnica moderna, e com razão. Derrida fez melhor ainda, uma teoria da escritura materialista-aleatória em sua teoria do traço e das margens.[270]

Certamente, as ciências humanas (economia, política, psicanálise, sociologia) foram, em seu começo, "formações teóricas da ideologia burguesa".[271] Mas desde Comte e Durkheim, e sobretudo

---

268 N.T.: "Analytiques" em francês refere-se à psicanálise.

269 Há lacunas sublinhadas no manuscritos após as duas ocorrências de "como" nesta frase.

270 Cf.: ALTHUSSER, Louis. *Être marxiste en philosophie*. Paris: PUF, 2015, pp. 212 e ss.

271 Cf.: ALTHUSSER, Louis. *Être marxiste en philosophie*. Paris: PUF, 2015, p. 313; ALTHUSSER, Louis. *Initiation à la philosophie pour les non-philosophes*.

Marx, Lênin e Mao, elas mudaram profundamente. Hoje estão na vanguarda os historiadores franceses e soviéticos, os etnólogos anglo-saxões e os filósofos franceses.

Ler: [Rafaël] Pividal, [*Le Capitaine*] *Nemo et la Science*[, Paris, Grasset, 1972)]; J[acques] Bouveresse, Minuit.

Soisy, 6 de julho de 1986

Paris: PUF, 2014, p. 200; ALTHUSSER, Louis. *Les Vaches noires*: interview imaginaire. Paris: PUF, 2016, p. 290.

REFERÊNCIAS BIBLIOGRÁFICAS

ALTHUSSER, Louis. "Chronologie et avertissement aux lecteurs du livre I du Capital". *In*: MARX, Karl. *Le Capital,* Livre I. Trad. J. Roy. Paris: Garnier-Flammarion, 1969.

______. "Du contenu dans la pensée de G.W.F. Hegel (1947)". *In*: ______. *Écrits philosophiques et politiques.* tome I. Paris: Stock/Imec, 1994.

______. "L'objet du Capital (1965)". *In*: ALTHUSSER, Louis; BALIBAR, Étienne; ESTABLET, Roger; MACHEREY, Pierre; RANCIÈRE, Jacques. *Lire Le Capital.* Paris: PUF, 1996. (Quadrige).

______. "La querelle de l'humanisme" (1967). *In*: ______. *Écrits philosophiques et politiques.* tome II. Paris: Stock/Imec, 1995.

______. "La reproduction des rapports de production, appendice: du primat des rapports de production sur les forces productives" (1969). *In*: ______. *Sur la reproduction.* Ed. J. Bidet. 2ª ed. Paris: PUF, 2011. (Actuel Marx Confrontations).

______. "Le courant souterrain de matérialisme de la rencontre" (1982-1983). *In*: ______. *Écrits philosophiques et politiques.* Ed. François Matheron. tome I. Paris: Stock/Imec, 1994.

______. "Lettre du 8 de mai de 1963 à Franca Madonia". *In*: ______. *Lettres à Franca*: 1961-1973. Paris: Stock/Imec, 1998.

______. "Machiavel et nous". *In*: ______. *Écrits philosophiques et politiques.* tome II. Ed. François Matheron. Paris: Stock/Imec, 1994.

______. "Notes, hypothèses et interrogations sur le problème du 'développement rural' en Afrique". (Imec, Fonds Althusser, Alt2. A7-01.01).

______. "Portrait d'un philosophe matérialiste". *In*: ______. *Écrits philosophiques et politiques*. tome I. Textos reunidos por François Matheron. Paris: Stock/Imec, 1994.

______. "Sobre el historicismo". *In*:______. *Filosofía y marxismo*: entrevista por Fernanda Navarro. Cidade do México: Siglo XXI, 1988.

______. "Soutenance d'Amiens". *In*:______. *Solitude de Machiavel et autres textes*. Ed. Yves Sintomer. Paris: PUF, 1998. (Actuel Marx Confrontation).

______. "Sur l'objectivité de l'histoire. Lettre à Paul Ricoeur" (1955). *In*:______. *Solitude de Machiavel et autres textes*. Ed. Yves Sintomer. Paris: PUF, 1998.

______. "Sur la genèse". *Décalages, revue d'études althussériennes*, 2012, vol. 1, n° 2, articles 8 et 9. Disponível em: http://scholar.oxy.edu/decalages/vol1/iss2/8; http://scholar.oxy.edu/decalages/vol1/iss2/9. Acessado em: 24.02.2022.

______. "The Historical task of Marxist Philosophy" [1967, inédito em francês]. *In*: ______. *The Humanist controversy and other writings*. Trad. G. M. Goshgarian. Londres: Verso, 2003.

______. *Éléments d'autocritique*. Paris: Hachette, 1974. (Analyse).

______. *Être marxiste en philosophie*. Paris: PUF, 2015.

______. *Filosofía y marxismo*: entrevista por Fernanda Navarro. Cidade do México: Siglo XXI, 1988.

______. *Initiation à la philosophie pour les non-philosophes*. Paris: PUF, 2014.

______. *Les Vaches noires*: interview imaginaire. Paris: PUF, 2016. (Perspectives critiques).

______. *Lettre aux camarades italiens du 28 juillet 1986*. (Imec, Fonds Althusser, Alt2.A29.06-10).

______. *Lettres à Franca*: 1961-1973. Ed. Y. Moulier-Boutang e F. Matheron. Paris: Stock/Imec, 1998.

______. *Lettres à Hélène*: 1947-1980. Ed. O. Corpet. Paris: Grasset, 2011.

______. *Pour Marx*. Paris: Maspero, 1965. (Théorie).

______. *Réponse à John Lewis*. Paris: Maspero, 1973. (Théorie).

______. *Sur la philosophie*. Paris: Gallimard/NRF, 1994.

______. *XXIIe Congrès*. Paris: Maspero, 1977.

ARON, Raymond. *D'une Sainte famille à l'autre*: essais sur les marxismes imaginaires. Paris: Gallimard/NRF, 1969.

______. *Essais sur la théorie de l'histoire dans l'Allemagne contemporaine*: la philosophie critique de l'histoire. Paris: Vrin, 1938.

______. *Introduction à la philosophie de l'histoire*: essais sur les limites de l'objectivité historique. Paris: Gallimard/NRF, 1938.

______. *Le Marxisme de Marx*. Paris: Éditions de Fallois, [1963] 2002.

______. *Les Étapes de la pensée sociologique*: Montesquieu, Comte, Marx, Tocqueville, Durkheim, Pareto, Weber. Paris: Gallimard, 1967.

BALIBAR, Étienne. "Sur les concepts fondamentaux du matérialisme historique". *In*: ALTHUSSER, Louis; BALIBAR, Étienne; ESTABLET, Roger; MACHEREY, Pierre; RANCIÈRE, Jacques. *Lire Le Capital*. Paris: PUF, 1996.

BARTHES, Roland. *Sur Racine*. Paris: Seuil, 1963.

BENTLEY, Thomas. *Letters on the Utility and Policy of Employing Machines to Shorten Labour*. Londres: William Sleater, 1780.

BERANGER, Pierre-Jean. de. "Le Grenier". *In*: ______. *Oeuvres complètes*. tome II. Paris: L'Harmattan, 1984. (Les Introuvables. Éditions d'aujourd'hui).

BOUKHARINE, N. *La Théorie du matérialisme historique*: manuel populaire de sociologie marxiste. Paris: Éditions sociales internationales, 1927. (Bibliothèque marxiste).

CERRETI, Giulio. *À l'ombre des deux T. Quarante ans avec Palmiro Togliatti et Maurice Thorez*. Paris: Julliard, 1973.

COMMERSON, [J.-L. Auguste]. *Pensées d'un emballeur pour faire suite aux Maximes de François de La Rochefoucauld*. Paris: Martinon, 1851.

DECAILLOT, Maurice. *Le Mode de production socialiste*: essai théorique. Paris: Éditions sociales, 1973.

DECLARATION DES PARTIS COMMUNISTES ET OUVRIERS. *L'Humanité*, 6 de dezembro de 1960.

DUMONT, Jean-Paul *et al*. *Les Présocratiques*. Paris: Gallimard, 1998. (Bibliothèque de la Pléiade).

ÉLUARD, Paul. "Confections, n° 10". *In*: _____. *Oeuvres complètes*. tome I. Ed. M. Dumas e L. Scheler. Paris: Gallimard, 1968. (Bibliothèque de la Pléiade).

ENGELS, Friedrich. "Au lecteur italien" [Préface de l'édition italienne du "Manifeste communiste", 1893]. *In*: MARX, Karl. *Oeuvres*: économie, 1. tome I.

_____. *Anti-Dühring (M. E. Dühring bouleverse la science)*. Trad. Émile Bottigelli. 3ª ed. Paris: Éditions sociales, 1977.

ESTABLET, Roger. "Présentation du plan du Capital". *In*: ALTHUSSER, Louis; BALIBAR, Étienne; ESTABLET, Roger; MACHEREY, Pierre; RANCIÈRE, Jacques. *Lire Le Capital*. Paris: PUF, 1996.

FERRÈRE, L. *L'Esthétique de Gustave Flaubert*. Paris: Conard, 1913.

FLAUBERT, G. "Lettre à Amélie Bosquet du 9 août 1864". *In*: _____. *Oeuvres complètes*. tome XIV. Paris: Club de l'Honnête homme, 1975.

FOUCAULT, Michel. *Histoire de la folie à l'âge classique*. Paris: Plon, 1961.

GAULLE, Charles de. "L'appel du 18 Juin". *In*: _____. *Discours de Winston Churchill devant la Chambre des communes le 13 mai et 18 juin 1940, suivi de L'Appel du 18 Juin*: déclarations du général de Gaulle sur les ondes de la BBC, le 18 et 22 juin 1940. Paris: Points, 2009.

GOETHE, Johann Wolfgang. *Entretiens de Goethe avec Eckermann*. Trad. J.-N. Charles. Paris: Claye, [s.d.]. (Hetzel).

GRAMSCI, Antonio. *Cahier de prison*. tome II. Trad. M. Aymard e P. Fulchignoni, 1983, Cahier 8, §204.

_____. *Cahier de prison*. tome III. Trad. P. Fulchignoni, G. Granel e N. Negri. Paris: Gallimard, 1978, Cahier 11, §27.

_____. *Cahier de prison*. tome IV. Trad. F. Bouillot e G. Granel, 1990, Cahier 15, §61.

_____. *In*: _____. *Oeuvres*. tome XIV. Paris: Éditions sociales/Éditions du Progrès, 1956.

GUILLEMIN, Henri. *L'affaire Rousseau-David Hume, 1766*. Paris: Plon, 1947.

HEGEL, Georg. *Phénoménologie de l'esprit*. Trad. P.-J. Labarrière e G. Jarczyk. Paris: Gallimard, 1993. (Folio Essais).

______. *Science de la logique*. Trad. G. Jarczyk e P.-J. Labarrière. tome I. Paris: Aubier- Montaigne, 1972.

HOBBES. *Léviathan*. Trad. F. Tricaud e M. Pécharman. Paris: Vrin, 2004. (Libraire philosophique).

KANT, Immanuel. *Métaphysique des mœurs, première partie*: doctrine du droit. Trad. A. Philonenko e prefácio de M. Villey. Paris: Vrin, 1993.

______. *Réflexions sur l'éducation*. Trad. Alexis Philonenko. Paris: Vrin, 1993.

KAUTSKY, Karl. *Das Erfurter Programm*. Berlin: Dietz, [1892] 1965.

______. *Die Agrarfrage*: eine Übersicht über die Tendenzen der modernen Landwirtschaft und die Agrarpolitik der Sozialdemokratie. Stuttgart: Dietz, 1899. (trad. ang. *The Agrarian Question in Two Volumes*. Trad. P. Burgess. Londres: Zwan, 1988, tome II).

______. *La Question agraire*: étude sur les tendances de l'agriculture moderne. Trad. E. Milhaud e C. Polack. Paris: Maspero, 1970. (Bibliothèque socialiste internationale, 1900, réimp. En fac-similé).

LA FRANCE À L'HEURE LIP. *L'Humanité*, 16 août 1973.

LÉNINE, Vladmir I. *Sur la commune*. Moscou: Éditions du progrès, 1971.

______. *Oeuvres*. tome IV, tome XIII, tome XIV, tome XX, tome XXI, tome XXII, tome XXV, tome XXVII, tome XXXI, tome XXXII, tome XXXIII. Paris/Moscou: Éditions sociales/Éditions du Progrès, [s.d.].

LOCKE, G. "Humanisme et lutte de classes dans l'histoire du mouvement communiste". Trad. Y. Blanc. *Dialectiques*, n° 6, 3° trimestre, 1976.

LUXEMBURG, Rosa. *La Crise de la social-démocratie* ["Brochure de Junius"] *suivi de sa critique par Lénine*. Trad. J. Dewitte. Bruxelles: La Taupe, 1970. (Documents socialistes).

MALEBRANCHE, Nicolas de. "Recherche de la vérité, Livres I-III". *In*: ______. *Oeuvres*. tome I. Ed. G. Rodis-Lewis. Paris: Vrin, 1962.

MAO, Tsé-Toung. *Citations du Président Mao-Tsé-Toung*. Pékin: Éditions en langues étrangères, 1966.

MARX, Karl. "Adresse inaugurale de l'Association internationale des travailleurs". *In*: ______. *Oeuvres choisies*. tome I. Moscou: Éditions du Progrès, 1955.

______. "Appel au prolétariat anglais". Trad. L. Janover e M. Rubel. *Spartacus*, série B, n° 129, mai/juin 1984.

_____. "Au Citoyen Maurice Lachâtre". *In*: _____. *Le Capital, Livre I*. Trad. J. Roy, Chronologie e avertissement L. Althusser. Paris: Garnier-Flammarion, 1969.

_____. "Avant-propos". *In*: _____. *Contribution à la critique de l'économie politique*. Trad. M. Rubel e L. Évrard. Paris: Gallimard, 1859.

_____. "Brouillons de la correspondance avec V. Zassoulitch". Trad. M. Rubel avec L. Janover.

_____. "Die Gestaltungen des Gesamtprozesses". tome IV, 2ª partie: Manuscrits 1863-1867 (texte). Ed. M. Müller *et al.* Berlin: Dietz/ Internationales Institut für Sozialgeschichte, 1992.

_____. "Ébauche d'une critique de l'économie politique". *In*: _____. *Oeuvres*: économie, 2. tome I. Trad. M. Rubel e J. Malaquais. Paris: Gallimard, 1968.

_____. "Ébauche d'une critique de l'économie politique". *In*: ____. *Correspondance*. tome I. Paris: Éditions sociales, 1977.

_____. "Introduction générale a 'Contribution à la critique de l'économie politique'". *In*: _____. *Oeuvres*: économie, 1. Trad. M. Rubel e L. Évrard. Paris: Gallimard, 1963 (Bibliothèque de la Pléiade).

_____. "La domination britannique aux Indes". *In*: _____. *Oeuvres*. tome IV. Paris: Gallimard, [s.d.].

_____. "Le Capital", Livre I. *In*: _____. *Oeuvres*: économie, 2. tome I. Trad. M. Rubel e J. Malaquais. Paris: Gallimard, 1968.

_____. "Le Capital", Livre II. *In*: _____. *Oeuvres*: économie, 2. tome I. Trad. M. Rubel e J. Malaquais. Paris: Gallimard, 1968. (Bibliothèque de la Pléiade).

_____. "Le Capital", Livre III. *In*: _____. *Oeuvres*: économie, 2. tome I. Trad. M. Rubel e J. Malaquais. Paris: Gallimard, 1968.

_____. "Les conséquences futures de la domination britannique en Inde". Trad. M. Rubel avec L. Janover. *In*: _____. *Oeuvres*. tome IV. Paris: Gallimard, [s.d.].

_____. "Le Manifeste du Parti communiste". *In*: _____. *Oeuvres*: économie, 1. tome I. Trad. M. Rubel e L. Évrard. Paris: Gallimard, 1968.

_____. "Les luttes de classes en France". Trad. M. Rubel e L. Janover. *In*: _____. *Oeuvres*. tome IV. Paris: Gallimard, 1994. (Bibliothèque de la Pléiade).

_____. "Lettre à F. Engels du 2 avril 1858". *In*: _____. *Correspondance*. tome IX. Paris: Éditions sociales, 1975.

_____. "Lettre à F. Engels du 2 avril 1858". *In*: _____. *Correspondance*. tome V. Paris: Éditions sociales, 1975.

_____. "Lettre à F. Engels du 27 juin 1827". *In*: _____. *Correspondance*. tome VIII. Trad. G. Badia *et al.* Paris: Éditions sociales, 1981.

_____. "Lettre à Feuerbach du 11 août 1844". *In*: _____. *Correspondance*. tome I. Paris: Éditions sociales, 1977.

_____. "Lettre à J. Weydemeyer du 5 mars 1852". *In*: MARX, Karl; ENGELS, Friedrich. *Correspondance*. tome III. Paris: Éditions sociales, 1972.

_____. "Lettre à L. Kugelmann du 11 juillet 1868". *In*: _____. *Correspondance*. tome IX. Paris: Éditions sociales, 1982.

_____. "Lettre à N. F. Danielson", "Lettres sur l'économie". *In*: _____. *Oeuvres*: économie, 2. tome I. Trad. M. Rubel e J. Malaquais. Paris: Gallimard, 1968.

_____. "Lettre à V. Zassoulitch du 8 mars 1881". *In*: _____. *Oeuvres*: économie, 2. tome I. Trad. M. Rubel e L. Janover.

_____. "Principes d'une critique de l'économie politique [extraits des Grundrisse]". *In*: _____. *Oeuvres*: économie, 2. tome I. Trad. M. Rubel e J. Malaquais. Paris: Gallimard, 1968. (Bibliothèque de la Pléiade).

_____. "Salaire, prix et plus-value". Trad. L. Évrard. *In*: _____. *Oeuvres*: économie, 1. tome I. Trad. M. Rubel e L. Évrard. Paris: Gallimard, 1968.

_____. "Salaire". *In*: _____. *Oeuvres*: économie, 2. tome I. Trad. M. Rubel. Paris: Gallimard, 1968.

_____. "Zur Kritik der politischen Ökonomie". *Marx Engels Gesamtausgabe*, section II, tome III, 5ª partie: Manuscrit 1861-1863 (texte). Ed. H. Skambraks e H. Drohla. Berlin: Dietz, 1980.

_____. *La Guerre civile en France, 1871*. Paris: Éditions sociales, 1968.

_____. *Le Capital*, Livre III. Trad. G. Badia e C. Cohen-Solal. Paris: Editions sociales, 1976.

______. *Les Manuscrits économico-philosophiques*. Trad. F. Fischbach. Paris: Vrin, 2007. (Textes et commentaires).

______. *Misère de la philosophie. In*: ______. *Oeuvres*: économie, 1. tome I. Paris: Gallimard, 1968.

______. *O Capital*. São Paulo: Boitempo, 2011.

______. *Sur les sociétés précapitalistes*: textes choisis de Marx, Engels, Lénine. Paris: Éditions sociales, 1970.

______. *Sur les sociétés précapitalistes*: textes choisis de Marx, Engels, Lénine. Paris: Éditions sociales, 1970.

______. *Théories sur la plus-value*. Trad. Gilbert Badia. tome I. Paris: Éditions sociales, 1974.

______. *Un chapitre inédit du Capital Premier Livre*: le procès de production du capital, sixième chapitre. Trad. R. Dangeville. Paris: Union générale d'éditions/10-18, 1971.

MARX, Karl; ENGELS, Friedrich. *L'Idéologie allemande*. Trad. M. Rubel com L. Évrard e L. Janover. *In*: ______. *Oeuvres*: Philosophie. tome III. Paris: Gallimard, 1982. (Bibliothèque de la Pléiade).

______. *Werke*. tome XXIII. Berlin: Dietz, 1972.

MAURON, Charles. *Des métaphores obsédantes au mythe personnel*: introduction à la psychocritique (Mallarmé-Baudelaire-Nerval-Valéry). Paris: José Corti, 1963.

MEHRING, Franz. *Karl Marx*: histoire de sa vie. Trad. J. Mortier. Paris: Batillage, [1918] 2009.

MEILLASSOUX, Claude. *Anthropologie économique des Gouro de Côte d'Ivoire*: de l'économie de subsistance à l'agriculture commerciale. Paris: Mouton, 1964. (Le Monde d'outre-mer passé et présent).

MICHEL, Alain. "La poétique du voyage: d'Homère à la modernité". *In*: ______. *Les voyages*: rêves et réalités. VIIes Entretiens de la Garenne Lemot (2008). Sob a direção de J. Pigeaud. Rennes: Presses Universitaires de Rennes, 2016.

MONTAIGNE, Michel de. *Les Essais*. Ed. Pierre Villey e Verdun Louis Saulnier. 2ª ed. Paris: PUF, 1992.

MOULIER-BOUTANG, Yann. *Louis Althusser, une biographie*: la formation du mythe (1918-1956). Paris: Grasset, 1992.

NORA, Pierre; LE GOFF, Jacques. *Faire de l'histoire*: nuveaux problèmes. tome I. Paris: Gallimard, 1974.

PASCAL, Blaise. "Pensées". *In*: ______. *Oeuvres complètes*. Paris: Gallimard, 1960, nº 294 (Brunschvicg). (Bibliothèque de la Pléiade).

PASUKANIS, Evgenij. *La Théorie générale du droit et le marxisme*. Trad. J.-M. Brohm. Paris: Études et documentation internationales, 1970.

REY, Pierre-Philippe. *Colonialisme, néocolonialisme et transition au capitalisme*: exemple de la "Comilog" au Congo- Brazzaville. Paris: Maspero, "Économie et socialisme", 1971.

RICHARD, Jean-Pierre. *L'Univers imaginaire de Mallarmé*. Paris: Seuil, 1961.

______. *Stéphane Mallarmé et son fils Anatole*. Paris: Seuil, 1961.

RICOEUR, Paul. "Objectivité et subjectivité en histoire (1953)". *In*: ______. *Histoire et vérité*. Paris: Seuil, 1967.

ROSSEAU, Jean Jacques. "Discours sur l'origine et les fondements de l'inégalité parmi les humains". *In*: ______. *Oeuvres complètes*. tome III. Ed. B. Gagnebin e M. Raymond. Paris: Gallimard, 1964. (Bibliothèque de la Pléiade).

______. *Émile*. *In*: ______. *Oeuvres complètes*. tome IV. Ed. B. Gagnebin e M. Raymond. Paris: Gallimard, 1969. (Bibliothèque de la Pléiade).

SCHÖTTLER, Peter. "Paris-Barcelona-Paris. Ein Gespräch mit Pierre Vilar über Spanien, den Bürgerkrieg, und die Historiker-Schule der 'Annales'". *Kommune*, vol. 5, nº 7, 1987.

SÈVE, Lucien. *Marxisme et théorie de la personnalité*. 2ª ed. Paris: Éditions sociales, 1972.

SPINOZA, Baruch de. "Traité théologico-politique". Trad. Charles Appuhn. *In*: ______. *Oeuvres*, tome II. Paris: Garnier- Flammarion, 1965.

TERRAY, Emmanuel. *Le Marxisme devant les sociétés "primitives"*: deux études. Paris: Maspero, 1969. (Théorie).

TOGLIATTI, Palmiro. "Alcuni problemi della storia dell'Internazionale communista" (1959). *Opere*. Ed. Luciano Gruppi. tome VI. Roma: Editori riuniti/Istituto Gramsci, 1984.

______. "La via italiana al socialismo" (1956). *Opere*. Ed. Luciano Gruppi. tome IV, 2ª partie. Roma: Editori riuniti/Istituto Gramsci, 1984.

______. *Le Parti communiste italien*. Trad. R. Paris. Paris: Maspero, 1961.

______. *Les Voies du socialisme*. [Rapport à la réunion du Comité central du Parti communiste italien, Rome, 13 mars 1956, Cahiers du Parti communiste italien, Section pour l'étranger], nº 2, s.p. [s.d.].

VILAR, Pierre. "Histoire marxiste, histoire en construction". *In*: _____. *Une histoire en construction*: approche marxiste et problématiques conjoncturelles. Paris: Seuil/Gallimard, 1983.

_____. "Économies, sociétés, civilisations". *Annales,* vol. 28, nº 1, janvier-février 1973.

_____. *Une histoire en construction*: approche marxiste et problématiques conjoncturelles. Paris: Seuil/Gallimard, 1983.

WITTGENSTEIN, Ludwig. *Tractatus logico-philosophicus*. Trad. Gilles-Gaston Granger. Paris: Gallimard, 1993.

_____. *Tractatus logico-philosophicus*: suivi de Investigations philosophiques. Trad. Pierre Klossowski. Paris: Gallimard, 1961. (Tel).

ÍNDICE ONOMÁSTICO

NOTAS

NOTAS

A Editora Contracorrente se preocupa com todos os detalhes de suas obras!
Aos curiosos, informamos que este livro foi impresso no mês de abril de 2022,
em papel Pólen Soft 80g, pela Gráfica Grafilar.